Dados circulares
y otros relatos polifónicos

Dados circulares
y otros relatos polifónicos

CUENTO

ÁNGELES FERNANGÓMEZ • LAURA HERNÁNDEZ
SOCORRO MÁRMOL • JUAN REVELO
C. VÁSQUEZ-ZAWADZKI • MARÍA VILANTA

ESCRITO A
SEIS VOCES

CANGREJO
EDITORES

Co863.6 cd 21 ed.
A1436330
2014

      Dados circulares y otros relatos polifónicos / Carlos Vásquez-
      Zawadzki ... [et al.] — Bogotá : Cangrejo Editores, 2013.
      176 p. : il. : 17 x 24 cm

ISBN: 978-958-8296-49-4

1. Cuentos colombianos 2. Cuentos hispanoamericanos 3. Relatos
hispanoamericanos I. Vásquez-Zawadzki, Carlos.

CEP-Banco de la República-Biblioteca Luis Ángel Arango

PRIMERA EDICIÓN: ABRIL DE 2014

© Ángeles Fernangómez (ES), Laura Hernández Muñoz (ME),
   Socorro Mármol Brís (ES), Juan Revelo Revelo (CO),
   Carlos Vásquez-Zawadzki (CO) y María Vilalta (AR), 2014

© Cangrejo Editores, 2014
   Carrera 24 No. 61 D - 42 Bogotá, D.C., Colombia
   Telefax: (571) 276 6440 - 541 0592
   cangrejoedit@cangrejoeditores.com
   www.cangrejoeditores.com

© Ediciones Gato Azul, 2014
   edicionesgatoazul@yahoo.com.ar
   Buenos Aires, Argentina

   ISBN: 978-958-8296-49-4

DIRECCIÓN EDITORIAL:

Leyla Bibiana Cangrejo Aljure

DIRECCIÓN Y COORDINACIÓN DEL PROYECTO:

Socorro Mármol Brís
Juan Revelo Revelo

PREPRENSA DIGITAL:

Cangrejo Editores Ltda.

DISEÑO GRÁFICO:

Germán I. Bello Vargas

IMPRESO POR:

Editorial Buena Semilla

Impreso en Colombia - *Printed in Colombia*

Índice

Presentación

"**Dados circulares**" es un libro novedoso y fascinante de gran fuerza narrativa. Es el primero que se escribe en Iberoamérica en forma polifónica; no como una antología, sino como una estructura literaria eslabonada, con textos secuenciales de los seis autores que escribieron, uno detrás de otro, los párrafos que integran cada una de las catorce narraciones del libro.

El proyecto, que nació como un ejercicio experimental, pronto se convirtió en un ambicioso reto literario para las cuatro mujeres y los dos hombres (residenciados en países distantes, desde España hasta Argentina); quienes, a medida que avanzaban en la escritura de los relatos sin más contacto directo que el virtual de Internet, fueron encontrando que el proceso no sólo era difícil y complejo, sino que requería de un método —sin antecedentes en la bibliografía mundial—, de una dirección y coordinación (Juan Revelo y Socorro Mármol), para marcar prioridades, reglas a seguir y compromisos cronológicos.

El primer punto de acuerdo fue el de escribir catorce narraciones que atraparan a los lectores hispanohablantes sobre distintos temas: suspenso, humor, textos fantásticos, policíacos, históricos, relatos de amor y desamor... Los primeros seis, con argumentos que se desarrollan en el lugar de residencia de los autores, escritos en el orden alfabético por el país de origen de ellos, y los ocho siguientes (que aparecen en la segunda parte del libro), sobre propuestas libres, escritos siguiendo el orden alfabético de los apellidos de los escritores, respetando los giros y los modismos de cada quien para darle sentido a la internacionalidad y a la riqueza del Castellano que se utiliza en cada país hispanohablante, y para que los lectores, en ambas orillas del Océano Atlántico, puedan disfrutar de ese amplio y maravilloso espectro lingüístico.

El segundo acuerdo fue el de procurar que cada autor que iniciara un relato, escribiera también el desenlace, teniendo en consideración la estructura y el desarrollo narrativo de los demás escritores que le precedieran, con absoluta libertad, pero respetando la coherencia de la historia contada y buscando la "redondez" dentro de las mejores técnicas literarias.

Conscientes de que se trataba de un trabajo pionero, los seis escritores (todos con premios nacionales e internacionales): María Vilalta de Argentina; Juan Revelo Revelo y Carlos Vásquez-Zawadzki de Colombia; Socorro Mármol Brís y Ángeles Fernangómez de España; y Laura Hernández Muñoz de México, crearon un procedimiento para escribir, revisar y corregir los textos en forma conjunta, aprovechando la formidable sinergia del grupo y la experimentada visión de cada autor, característica que, al final, produjo un libro de alta calidad como el lector podrá comprobarlo.

Nueve meses tardó esta aventura polifónica a seis voces, en una actividad febril y contagiosa, inmersos todos los integrantes del proyecto en la magia que encierra el ejercicio de la escritura colectiva —que ellos mismos descubrieron era compleja, pero también fascinante y enriquecedora—. El libro concebido con esta singular técnica, es el resultado de la sumatoria de creatividad de los seis autores, dueños de distintas vivencias, costumbres y estilos; hermanados por el entusiasmo y la pasión que provoca el realizar un trabajo literario en equipo, especialmente cuando se trata de crear narraciones perdurables, como las que integran este libro innovador y magnífico.

El Editor

～Primera Parte～

*Cuentos iniciados según orden alfabético
del país de origen de los autores:*

María Vilalta. (**M. V.**) *Argentina*
Juan Revelo Revelo. (**J. R. R.**) *Colombia*
Carlos Vásquez-Zawadzki. (**C. V. Z.**) *Colombia*
Socorro Mármol Brís. (**S. M. B.**) *España*
Ángeles Fernangómez. (**A. F.**) *España*
Laura Hernández Muñoz. (**L. H. M.**) *México*

1

El clásico

*Este relato se desarrolla en Argentina, y está escrito
con inicio y desenlace de María Vilalta.*

Julián se retraía en el volante. Algo venía inquietándolo desde temprano. Por las calles vacías, el sonido de los neumáticos de su auto daba un cierto sopor. Hoy se jugaba el clásico: los "auriazules" contra "los rojinegros". Nada ni nadie podía desvelarlo como ese partido, ni todas las mujeres del mundo, ni los juicios que como abogado penalista llevaba adelante. Julián, tenía sus ceremonias: salir muy temprano en la mañana, recorrer despacio la zona costanera, llegar al bodegón de los "auriazules", pedir un cortado, armar con los muchachos los mejores ataques, revisar concienzudamente los volantes, la defensa, el puesto del arquero… Nada se escapaba a la escrupulosa mirada del hincha. "El fútbol es lo que realmente iguala a los hombres" —decía—. Codo con codo, dispuestos a gritar hasta quedar la garganta seca, hasta agotar las fuerzas. Ni la muerte podía tener esa cualidad. Julián gastaba una gorra por partido; o se la comía en las jugadas claves, o la tiraba al medio del campo de juego en el fervor del entusiasmo.

Los muchachos de la hinchada lo conocían como el "Tordo" y entre ellos se contaban buena parte de los que había sacado de la cárcel. Se abrazaban en los goles como encendidos hermanos. No parecía el Julián de los tribunales que usaba saco y corbata. En medio de las bataholas se mimetizaba y arrojaba las mismas piedras que lanzaban los delincuentes o los padres de familia. Pero tenía algo que lo distinguía: su tío Eliseo, quien lo había convertido en hincha de Rosario Central (los gloriosos auriazules). Su tío, el que le había fomentado su adicción al fútbol; socio inaugural del Club; socio honorario homenajeado por la hinchada.

Su tío Eliseo había muerto en la cancha como correspondía a alguien tan porfiado como había sido él. Su fantasma acompañaba a Julián en cada partido, silbaba en las jugadas riesgosas, puteaba al árbitro con la misma solvencia de vivo. La voz le salía en estruendo y se escuchaba un cierto eco contra las tribunas ajenas. Los muchachos sabían de su presencia, y desde el primer día dejaron libre la butaca que él utilizó para apoyar sus lentes y el pañuelo blanco con las cuatro puntas anudadas a manera de gorra que usaba el tío Eliseo.

"Tordo", decían los rufianes con el máximo respeto. ¿Qué dijo el tío? ¿Cómo formamos? Y Julián —que traducía las palabras del viejo fantasma—, nunca vio tanta exactitud. Jamás equivocó una formación o una jugada. La fama de la suficiencia del tío había comenzado a trascender. Primero se enteraron los jugadores, luego el masajista, el técnico, el preparador físico y el dirigente auriazul. Esto no habría sido notorio si no hubiera ocurrido el desastre mayor en el campo de juego: el goleador del equipo, el "Paticorto", el primerísimo goleador, se lesiona faltando veinte minutos para la finalización del partido y estando los dos equipos uno a uno. La tribuna enmudeció. Un silencio eterno pareció ganarlos a todos. La pelota en los pies del árbitro, parada sobre la línea del medio campo. Todo el aire retenido en los pulmones de miles de hombres y mujeres. Todos expectantes, y de pronto…, la voz de ultratumba del tío Eliseo se escucha clara aunque sin un cuerpo que la sostenga. (**M. V.**)

"Estaba cantado que este "Paticorto" se lesionaría antes de terminar el clásico —dice la voz del fantasma Eliseo—; el miedo lo persiguió como una bola de fuego pegada a sus pies. Buscaba, sin saberlo, lesionarse para no asumir un compromiso victorioso. ¿Te das cuenta Tordito? Ahora se alegra con su desgracia, este imberbe petizo, y cree aterrorizarnos con su salida del terreno de juego. Pero, todos en silencio, sólo fingimos conmovernos con su pérdida. ¡Vamos, Tordito, empujá al Negro! Gritá su nombre, juralo en vano. En su empeine tiene goles para vencer esta tarde de gloria aplazada veinte minutos. Mirá, el primero de tiro libre, en comba, porque el porterito, ese leproso de por vida, se quedará sin manos como si las hubiera dejado en el camerino; el otro, auto habilitándose en las dieciocho, incontenible, y la defensa se graduará de fantasma, como yo que soy tu tío Eliseo. Tordito, gritá ahora mismo, gritemos todos: ¡Negro! ¡Negro…! Ese mal pensado canalla de nuestro Director Técnico no conoce al Negro. Mirá vos, Julián, le levantaremos un monumento en el Club, y yo me sentaré en sus hombros por toda mi eternidad. ¡Bárbaro ese Negro! Como un dios, ya lo verás. ¡Gritá Negro, gritá!" (**c. v. z.**)

—Mi amor, que te va a dar otro infarto como el que te dio aquí mismo el día que la espichaste, —gritó Carmen, "la Gallega", con la que Eliseo estuvo casado hasta el infortunado día en que ella apareció gritando de parto en el estadio, y allí mismo echó a la criatura, al mundo.

—Que te vas a morir otra vez, Eliseo, y esta vez el pibe ya se da cuenta de todo.

—Por tu culpa, Carmen, por tu culpa fue que me dio el infarto. Tuviste que llegar dando voces justo en el momento en el que yo gritaba animando al "Pelúo" para que salvara el clásico de aquel año.

—Ya lo sé, mi amor, ya lo sé; pero tendrás que entender que yo me sentía muy mal pariendo a solas a este angelito nuestro, sólo porque tú te empeñabas en no perderte el partido, aunque ya me hubieran empezado las contracciones. Ya sabes que a mí el fútbol me importó siempre una mierda, pero desde que supe que andas por ahí como alma en pena, intentando vengarte de haber perdido aquel clásico, yo acudo todos los años al estadio con el pibe para que pueda oír a su padre, ya que nació huérfano aquí mismo el pobre chiquillo.

Ahora Carmen mira a Eliseíto y dice:

—Mira, hijo, cuando yo llegué aquel día aquí, endemoniada y contigo entre las piernas, tu padre se estaba desgañitando a gritos por animar al "Pelúo" para que salvara a su equipo. Justo en el empate —y casi al final del partido, como ahora—, el árbitro sacó tarjeta roja al "Lirona", el as del fútbol en aquel entonces, todo por poner la zancadilla a un delantero. A tu padre, que en gloria esté, y que ya andaba un poco tocado de taquicardias —mira que yo se lo decía—, entre el disgusto y la euforia de lo del "Lirona", y vernos aquí, contigo asomando ya la cabeza, le dio un ataque al corazón y se nos fue. ¡Ay, Dios mío! Dicen, que el "Pelúo" se despistó tanto con la que aquí se montó, que no dio ni una. Y perdieron el clásico. Desde entonces, tu padre no descansa en paz, buscando una jugada parecida con la que pueda vengar esa derrota. Y ahora, el "Negro" está a punto de concederle esa oportunidad. (**A. F.**)

A un lado de Carmen "la Gallega" y de su retraído hijo, el pibe Eliseíto —que acababa de cumplir catorce años de edad—, estaba sentado el Tordo Julián, nervioso y gritón con su gorra mordida frenéticamente por quincuagésima vez. A su lado, observándolo atentamente con ojos fantasmagóricos, el viejo Eliseo no se explicaba por qué su hijo, nacido en ese estadio en circunstancias tan particulares, no era hincha de su equipo favorito los auriazules de Rosario Central, sino de sus adversarios, los rojinegros del Newell's. "Eso tiene que habérselo inculcado su cabrona madre, enemiga de mi pasión por el fútbol y por mi glorioso equipo" —dijo el fantasma, con voz rencorosa, mirando de reojo a Carmen y al muchacho.

Julián que alcanzó a escuchar el áspero comentario de Eliseo, apuntó en tono conciliador: "Tranquilízate tío. Con la goleada que hoy les daremos al Newell's, tu muchacho se pasará a nuestra hinchada que es la mejor. Ya lo verás… ya lo verás".

Eliseo hizo un gesto de molestia y giró la vista hacia las graderías del estadio que estaban abarrotadas de fanáticos, vestidos con los colores de sus equipos. Todos gritaban consignas, algunas groseras y mordaces, y hacían sonar silbatos con una estridencia insoportable. Los más pendencieros, ubicados en las graderías de occidente, insultaban a los de oriente, sin que pudieran oírse, unos a otros, por la ensordecedora algarabía. "Parecen aullidos de animales salvajes, como dice mi madre" —pensó el pibe Eliseo al oír las ruidosas manifestaciones del público y se lo dijo a "la Gallega".

—¡Chitón! No lo repitas en voz alta, o el fantasma de tu padre se enfadará —comentó la mujer arrugando la frente y siguió echándose aire con el viejo abanico español, regalo de su difunto marido.

En la cancha, los dos equipos iban a reanudar el juego después de la lesión del goleador "Paticorto". Estaban empatados uno a uno, de la misma forma en que estuvieron en el clásico rosarino de hacía catorce años cuando se infartó Eliseo. Ya no figuraban en la alineación ni el "Pelúo", ni "Lirona" quienes, después de retirarse de las canchas se asociaron para montar un restaurante, como lo hicieron, en otros tiempos, muchos ex jugadores argentinos. Ahora alineaban en el equipo de los rojinegros del Newell's: Messi, Peralta y Pablito Pérez; y en el equipo de los auriazules de Rosario Central: Lombardi, Biglieri y el Negro, el famoso Negro en quien toda la hinchada tenía puestas sus esperanzas.

Cuando el balón se puso en movimiento, el Tordo Julián se levantó emocionado, les dijo algo a los fanáticos que él lo ayudó a excarcelar cuando fue su abogado defensor, y todos gritaron al unísono para que el Director Técnico del Rosario Central los oyera: "¡No seas boludo…! ¡Pon a jugar al Negro! ¡Con el Negro, ganaremos!"

Eliseíto —vestido con los colores del Newell's—, mira fijamente a su padre Eliseo, y también a su madre y al Tordo Julián. Algo en su interior se estremece y convulsiona con fuerza súbita al escuchar el clamor de los auriazules de Rosario Central que repiten una y otra vez: "¡Pon a jugar al Negro! ¡Pon al Negro, boludo…!". Toma aire por nariz y boca; vuelve a mirar con gesto de rebeldía a su progenitor; se pone de pie, y alzando los brazos grita a todo pulmón con voz aguda, como de contralto: "Con el Negro o sin el Negro, Newell's... Newell's... per-de-rá!"

Eliseo padre lo observa incrédulo y por un instante pone en duda lo que acaba de escuchar... ¿Por fin su hijo es hincha de Rosario Central, su equipo preferido? Sonríe con un gesto de satisfacción. "¿Has dicho Newell's perderá?" —pregunta emocionado, y se apresta a abrazarlo—. El pibe mueve la cabeza afirmativamente, suspira hondo y se acerca a su padre fantasma, pero no logra el abrazo reconciliador porque, en ese momento, Eliseo comienza a desvanecerse, elevándose, poco a poco, hacia las nubes, al mismo tiempo que un viento frío y húmedo revolotea sobre la gramilla y sobre las cabezas de los espectadores que llenan el estadio, y que observan atónitos la ascensión del viejo Eliseo. (**J. R. R.**)

—¡Pero mi amor, maldita sea! —grita "la Gallega" con voz tan hombruna como compungida—. ¿No irás a desvanecerte otra vez, dejándome sola con este mariposón que tienes por hijo? ¿Se puede saber a dónde vas ahora? ¡No te irás a perder este partido...! Y viendo la ineficacia de sus conjuros, la carnosa mujer tantea nuevos terrenos: ¡De seguro que te has buscado alguna pelada jinetera en el otro mundo mientras yo tengo que guardarte la sombra rompiéndome la garganta en semejante fardel...! ¡Eliseooooooooo! ¡O bajas o me cisco en tus vivos y en tus muertos!

Nadie sabe cómo ha sido pero, de repente, un silencio sin precedentes se apodera de las gradas, de la yerba recortadita, de los fondos norte y sur, del espacio entero. Sólo se escucha la voz de "la Gallega" como algo material y envuelto en afiladas aristas, y la voz aflautada de Eliseíto, el malparido:

—¡Eliseoooooooooooooo...!

—¡Newell's... Newell's... per-de-rá!

—¡Boludo! ¡J'oputa! ¡Pendejo!

—¡Newell's… Newell's… per-de-rá! —grita nuevamente el pibe.

Nadie podría decir a quién van dirigidos los improperios de "la Gallega" que, con los ojos en blanco y espumarrajeando por las comisuras de los labios, levanta sus manos desesperadas hacia un cielo lleno de nubarrones como si quisiera detener el ventarrón compañero del vuelo del pañuelo blanco, anudado en las cuatro puntas a manera de gorra, que sube y se aleja lentamente junto con los viejos lentes que Eliseo llevó siempre a los partidos de su equipo.

El público mira estupefacto la deserción del fantasma infartado. Los jugadores de Rosario Central, se arrodillan, en perfecta formación, incapaces de conformarse con la orfandad que se anuncia irreversible. Los del equipo contrario, paralizados en su parte del campo, no se atreven a moverse del sitio. El árbitro y los jueces de línea tironean sus banderines como si quisieran ponerlos a media asta en señal de duelo, y los fotógrafos situados detrás de las porterías disparan sus cámaras tratando de inmortalizar la subida al cielo del fantasma.

Sólo el balón, incapaz de soportar el ventarrón de poniente, rueda por el campo como movido por unos pies invisibles que hubieran emprendido una fuga calculada al milímetro.

Por unos segundos el Tordo Julián reacciona y lanza al aire su gorra recién comprada para ese partido que se prometía único y con gran terror ve cómo los lentes de su difunto tío Eliseo se inclinan, enganchando la cachucha que sigue la ascensión del pañuelito anudado.

—¡Vámonos, pibe¡ Aquí ya no somos precisos —dice "la Gallega"—, y en ese momento, cuando todos están absortos en semejante prodigio, Julián se lleva las dos manos al pecho y cae redondo sobre la grada, con el corazón estallado.

¡GOOOOOOOLLLLLLL!… se oye desde arriba, allí donde las nubes empiezan a ocultar la ascensión de gorras y lentes, silenciando el apolillante diálogo de "la Gallega" y su hijo el mariposón. (S. M. B.)

—Te lo dije Julián, el Negro era el bueno; ahora que te has infartado como yo, podemos irnos a patear sobre las nubes; ya verás lo divertido que es mirar para abajo y reírte de lo que hacen los que se creen vivos. Yo ya estaba cansado de los gritos de Carmen y de los suspiros de Eliseíto. Vaya hijo que engendré, me salió más dulce que el alfajor, pero la culpa es de su madre que todo el tiempo se pasa haciéndole arrumacos. A ti te consta que desde pibe lo llevé a la escuela de fútbol para que se fogueara y se hiciera hombre, pero nunca salió de la banca porque le daban miedo las patadas y los empujones. Bonita cosa… ¡Yo me muero!

—Nos morimos tío —dijo el Tordo Julián que trataba de acomodarse la gorra mordisqueada.

—Sí sobrino, los dos nos morimos en el estadio de fútbol como buenos hinchas de nuestro glorioso "Rosario Central", gritando por el equipo, dejando las tripas en cada partido. Ya ves que hasta muerto no dejé de ir a ninguno. Ahí estuve ayudando, aconsejando… Tú eras mi vocero… Por cierto, ¿si decido volver, quién será mi voz…? Pero eso no importa; mi tiempo extra ya terminó, ahora me toca mirar desde la banca angelical donde la mayoría le va al "River" por el color blanco y rojo de su bandera; así se las gastan por acá, pero no te preocupes, ahora que tú estás aquí, ya somos dos y haremos fuerza, aunque, por lo reciente de tu muerte, tienes derecho a pedir algunos tiempos extras a San Pedro y bajar a disfrutar de los partidos. Será tu oportunidad de demostrar lo que sabes de fútbol. Te toca poner en alto el honor futbolero de la familia, porque lo que es mi hijo Eliseo, ése tonto nunca distinguirá entre un penalti, un fuera de lugar o una posición adelantada. A él sólo le interesa mirarles las piernas a los jugadores. Pero… ¿qué hice para merecer tal cosa? Yo que siempre fui muy macho, un hombre apasionado por el fútbol.

El Tordo Julián, que durante la ascensión al cielo escuchaba el discurso del tío Eliseo, sólo pensaba en que se perdería la final por el campeonato; que había dejado algunos asuntos pendientes en los juzgados, y que ya no sería posible casarse con Mariana y formar una familia. Entre su carrera de abogado y su afición por el juego de las patadas, había dejado veinte años de su vida. Bien dice el tango "Veinte años… no es nada". Así habían sido, "nada". Liberó a muchos pero se olvidó de liberarse a sí mismo. Él merecía otra oportunidad; no podía terminar así, infartado entre las butacas de un estadio aturdido por el grito de goool, ignorado por todos los aficionados que de seguro no se percataron de su muerte. No, el Tordo quería volver para meter el gran gol de su vida, no podía irse a la banca angelical a seguir siendo espectador. Un deseo vehemente se apoderó de él y con resolución le dijo a su tío Eliseo: "Tío, yo me devuelvo; aún tengo muchas cosas por hacer y no quiero lamentarme el resto de la eternidad por no haber jugado mi gran partido. Le daré sus saludos a la tía Carmen y al pibe".

—¡Lo recuperamos! —gritó el paramédico—, el corazón ya reaccionó, súbanlo a la ambulancia. ¡Esto es un milagro! No pensé que lo lográramos.

Carmen "la Gallega" lloraba de alegría dando gracias a toda la corte celestial por haber salvado a su sobrino el Tordo Julián. Eliseo, desde el cielo, con despectivo ademán movió la cabeza: "Boludo, hijo de puta, lo que haces para no estar conmigo". (**L. H. M.**)

Julián no tardó en tomar cartas en el asunto. Después de su milagrosa resurrección, se dedicó a motivar a Eliseíto para que entrenara y formara parte del equipo y del clásico. Ahora ya lo podían contar como fanático de Rosario Central. Si hasta llevaba la camiseta azul oro debajo del uniforme. El Tuerto se encargó de arrastrarlo al campo de juego mientras él y la hinchada organizaron el "día de las banderas".

Todo el equipo titular, incluido el técnico y los auxiliares, se ubicaron sobre el césped. La pelota en la línea media. El Tuerto iba a oficiar de árbitro. El Tordo Julián y Eliseíto como volantes del equipo. Nueve voluntarios elegidos en orden de cumplimiento de habilidades se juntaron a sus espaldas. Eliseíto no entendía nada, pero comenzó a sentir el picoteo de la sangre ante tanta figura futbolera. Eliseo padre, consintió en bajar y sentarse junto a "la Gallega" que era un mar de nervios.

La hinchada comienza su canto: ¡daalee... daalee campeón! Los pulmones se inflan y soplan el aire sobre las banderas que se agitan sin descanso. De golpe se abre la puerta que da sobre calle Génova. Una bandera interminable sostenida por todos los chicos de las inferiores, por todos los niños de las escuelas, por los verduleros, almaceneros, vendedores ambulantes, mujeres con críos en la cintura, ancianas de pantuflas... entran como si fuera un largo dragón sin fin. Todo se va tiñendo de auriazul. El azul y el oro se han trepado en las paredes, en los árboles y hasta han teñido el río.

Tocaron el himno, se enrolló la bandera sobre el camión de bomberos, y empezó el partido: el Tuerto suena el silbato; arranca el equipo oficial, corre la pelota, el grandote pecha al delantero, hace un pase al Tordo Julián, la toca uno de los presos (ahora en libertad condicional), le pega con el taco, va a Eliseíto, vuelve al Tordo, casi se juntan, uno de los dos patea al arco.

¡GOOOLLL! —grita la hinchada al unísono—. El pibe, Eliseíto, llora doblado sobre el césped. El Tordo Julián come su camiseta a dentelladas y dice a los gritos: "¡El pibe hizo el goool...! ¡Tío, tío, el pibe hizo un gooool!"

Fue la primera vez que se vio a un fantasma llorar; primera vez que se hizo el homenaje a las banderas y todo salió tan redondo que ahora lo repiten antes de cada clásico. Primera vez que Eliseíto mostró ese gol que tenía dormido desde el día que nació. "Fue algo atascado en el subconsciente" —le diría el médico a "la Gallega" que no paraba de reír y llorar, todo al mismo tiempo.

—"Central es un sentimiento", a ratos se abre el infierno y en un minuto de jugada todo el cielo se apodera de la ciudad —dice Julián entusiasmado.

—Tordo, vos sí que tenés palabras.

—No, Tuerto, acá todos somos iguales. Es el único sitio en el que nos igualamos. ¡Lo juro!

Y sale a gritar con fuerza, como si tratara de romper sus cuerdas vocales: ¡Dale carajo, tirá al arco de una vez! ¡Tienen pata de palo estos desgraciados! ¡Tirá, Negro, para eso te pagan…tirá! (**M. V.**)

2

SECRETOS

*Relato que se desarrolla en Cartagena de Indias, con
inicio y desenlace escritos por Juan Revelo Revelo.*

> *"Mar de la sal de la vida, mar de sepulcros abiertos.
> También soy como tú: con uno y muchos rostros".*
>
> Walt Withman. ("Hojas de hierba").

Mi nombre es Arthur Walsh, nacido en el Condado de Brooklyn,
músico de profesión y viajero de afición. Hace cuatro años llegué a
Cartagena de Indias invitado a participar en el Festival Internacional
de Música que se celebra en la primera semana de enero, en plena
temporada de luna llena. Viajé con el pianista y compositor William
Dalloway, paisano mío y compañero de estudios en el Conservatorio
de Música de Washington.

Después del Festival, William regresó a Estados Unidos, y yo
quedé atrapado por el encanto de esta ciudad caribeña, por la calidez
de su gente y por su vida tranquila tan distinta a la que yo tenía en mi
país. Aquí conformé, hace dos años, "Twin Souls", un grupo de música
de metales integrado por prestigiosos músicos de Brasil, Italia y España,
y por la colombiana Martha Cardona, *mezzosoprano* y compositora
radicada, desde su niñez, en Norteamérica en donde la conocí.

Todo habría seguido igual en mi vida de músico itinerante y
bohemio si Martha, esposa de William, no hubiese decidido extender
sus vacaciones junto a su familia que es propietaria de un hotel en

el archipiélago de las Islas del Rosario, cerca de Cartagena. Lo que ocurrió después fue inesperado. Una noche, mientras cenábamos en un restaurante de la ciudad amurallada, Martha me dijo que tenía que revelarme un secreto. Yo la escuché sorprendido porque me contó que la razón principal para no haber acompañado a William, en su regreso a Estados Unidos, fue la de que no lo amaba por razones que me explicaría después, y porque de quien estaba verdaderamente enamorada era de mí. Tengo que reconocer que no esperaba esa confesión, aunque desde hace mucho tiempo me moría de ganas por manifestarle lo que mi timidez incontrolable me impedía decir.

—Yo también te amo —dije creyéndome libre para revelarle lo que sentía por ella—. He estado amándote dolorosamente y en silencio desde el día que te casaste con William. Ese día me reproché no haber sido capaz de declararte mi amor antes de que lo hiciera él, pero ante los hechos cumplidos, me resigné pensando en que la esperanza es lo último que se pierde, y prometí seguir amándote hasta el final.

Martha me miró con dulzura, extendió las manos, y yo se las besé entre temeroso y osado. Abrió los brazos para darme confianza y me abrazó con una ternura que desafiaba toda turbación. "Ya no volverás a sufrir amándome en silencio, porque ahora sabes que mi amor es sólo para ti" —susurró en mi oído y noté que su cuerpo temblaba dócilmente.

—Te amo y soy feliz contigo, alcancé a decirle, antes de que sus labios cerraran los míos con una deliciosa caricia que me fue sumergiendo en un mar verde—azul—coralino, hasta que una nube con forma de alas abiertas (como las alas de ese enigmático pájaro negro y lustroso que aquí, en Cartagena de Indias, llaman "María mulata"), escondió el brillo de la luna que sólo en el Caribe resplandece en forma tan prodigiosa. (**J. R. R.**)

Desde aquel beso íntimo y rotundo, no recuerdo haber vivido momentos tan felices y tan intensos como los que se han sucedido en estos cuatro últimos años. Cuatro años amándonos como jamás pensé que se pudiera amar: haciendo de cada soledad un nuevo encuentro, involucrándonos en muchos proyectos culturales que a los dos nos fascinan, realizando giras con "Twin Souls" por Colombia y los demás países andinos: Venezuela, Ecuador, Perú, Bolivia, Chile y Argentina; participando en festivales de música y componiendo fusiones de *jazz*, *blues* y folclore latinoamericano. Este año volveremos a presentarnos en la plazoleta de San Pedro Claver el próximo 6 de enero. Hoy vimos la programación oficial. La sorpresa es que ese mismo día, antes de nuestra intervención, actuará William Dalloway, ex esposo de Martha, a quien ella no quiere volver a ver. También a mí me ha perturbado la idea de encontrarme de nuevo con aquel ex compañero con el que compartí viajes y confidencias. No consigo evitar sentirme como un amigo desleal porque en mi interior pesa aquel secreto que él me confió en una gira de conciertos que hicimos los dos por Europa. "Nunca se lo cuentes a mi esposa —me rogó—, pero yo jamás podré cumplir su sueño de tener un hijo porque soy estéril congénito".

Lo peor de esta situación es que, ahora, Martha está embarazada. Nuestro hijo nacerá el próximo mes de abril. Presiento que cuando William vea a Martha con su vientre de siete meses, se desmoronará, y su presentación será un desastre. Sé que la culpa acabará por ahogarme aunque no debiera sentirme culpable de nada por el simple hecho de amar como amo, y ser amado como lo soy. Ésta es una contradicción que no he podido superar.

Curiosamente, William ha titulado su concierto en forma significativa: *"The son I never had"*[1]. Y, según he podido saber, son variaciones sobre la música de Franz Listz y Max Reger, sus compositores preferidos. (**s. m. b.**)

---

[1]   El hijo que nunca tuve. (N. de E.)

Un viento frío se desató de improviso. Vine a la parte oeste de la muralla a ver ponerse el sol. Martha no se ha sentido bien por el embarazo y en dos horas será nuestra presentación en la plazoleta de San Pedro Claver, a pocos pasos de aquí. Sé que el malestar de ella y la incomodidad mía son provocados por el remordimiento que sentimos ante el próximo encuentro con William. La tarde extiende su manto violáceo sobre un mar encrespado. Las olas chocan contra el dique arrojando espuma sobre éste, en un intento de sobrepasarlo. Siempre me ha gustado venir por el lado de la antigua muralla, es el más solitario; los turistas prefieren el de la zona de los cafés y bares. Un cañón reposa aletargado en su perpetua vigilia. Toco el bronce e imagino cómo fueron las batallas en las que intervino; el asedio de los piratas que llegaban a saquear la ciudad, y también imagino el arribo de los barcos esclavistas. Aún se puede percibir entre estas piedras el dolor de aquellos hombres, niños y mujeres secuestrados en la lejana África. Me siento extraño al tener estos pensamientos y no poder enfocarme en la manera en que abordaré el encuentro con William. Vi a Martha sin valor para enfrentarse al hombre que traicionamos. Fue su esposo y mi mejor amigo. Ya lo hemos hablado y nunca logramos justificar del todo nuestra acción. Vamos a tener un hijo muy deseado, sin embargo, su llegada nos hace sentir doblemente culpables. ¿Qué sentirá Martha cuando escuche la sinfonía *"The son I never had"* escrita por William, y sienta el movimiento en su vientre del hijo que él no pudo darle? ¡Rayos! ¿Por qué me cuestiono tanto? Lo hecho, hecho está, y no hay vuelta atrás.

Son las 7 de la noche; en media hora inicia el concierto. William abre y nosotros, "Twin Souls", cerramos. Martha es la solista. Todo el programa se basó en su participación. *"Blues,* es lo que quiero cantar"—me dijo, y nos obligó a reorganizar el repertorio—. Será un éxito. En su estado, la voz es más dulce, cuando canta *"Summer time"*[2], hace llorar hasta a las piedras; es sublime; la amo tanto.

---

2   Tiempo de verano. (N. de E.)

La gente se arremolina frente y alrededor del podio donde nos presentaremos. Un piano blanco en el centro espera. Fue una de las condiciones que puso William para dar el concierto. Como siempre —pensé—, querrá lucirse, es un ególatra, pero también es un excelente músico. La plazoleta está llena. Martha y yo nos sentamos cerca al escenario. Quedamos a tiro de vista del ejecutante. Nos gusta mirar cómo mueve las manos sobre el teclado y la emoción que imprime a cada digitación. William es un gran pianista y hemos escuchado que ahora toca mejor.

El maestro de ceremonias pide silencio al público. Yo miro a Martha; está hermosa, viste de negro con aderezo de finas esmeraldas haciendo juego con el color verde de sus ojos. La beso en la mejilla y le tomo la mano. Nuestros dedos se entrelazan con fuerza al escuchar el nombre de William Dalloway. Él apareció, alto, arrogante, vestido con un frac blanco. Su cabello entrecano le daba un aire sofisticado. Martha lo miraba fijamente. Las primeras melodías arrobaron al público que respondía con sonoros aplausos. Para finalizar su actuación tomó el micrófono para decir unas palabras:

"Hace tiempo amé a una mujer con entrañable pasión, nuestros caminos se separaron pero siempre quedé en deuda con ella, por eso escribí una melodía pensando en lo que nunca le di. '*The son I never had… with her*', será interpretada por mi esposa Angelique".

Martha ahogó un grito tapándose la boca, yo sentí su mano crisparse junto con la mía. Angelique vestida de blanco, mostraba un vientre abultado; estaba embarazada. (**L. H. M.**)

Tuve que sostener a Martha, parecía a punto de desvanecerse. William sonreía ahora de una manera malévola como si una cortina de odio moviera sus dedos sobre el piano, su cuerpo alto, arrogante… No hubo ternura cuando se aproximó a Angelique. Había movimientos estudiados, fríos, distantes. Durante toda la canción observó a Martha que apoyaba su cuerpo en forma desesperada contra el mío. Y vino a mi cabeza, en oleadas, el trámite de divorcio de Martha, los papeles que debió llevar a William hasta Nueva York para agilizar el trámite. Las pocas palabras con que me relató su encuentro con él, su negativa a darme detalles exceptuando su irritación por la demora del vuelo de regreso a Cartagena, de un día completo, y la decepción enorme que dijo sufrir por la falta de caballerosidad de William.

¿Qué dice la canción…? *"Aún en la sequedad del alma puedo hacer florecer un hijo… hijos del odio como si fuera amor"*. La voz dulce de Angelique no logra armonizar la profunda dureza de la letra que entra a girones discordantes en mis oídos. Se hace más dura todavía en su vientre embarazado. A Martha le caen lágrimas. La abrazo. Sigue tensa, aterrorizada.

Por un momento William me mira, sopesa mi mirada, escudriña sobre mis ojos. ¿Qué intenta decirme…? ¿Otro secreto…? ¡Cielos! ¡Qué horror…! ¿Me está diciendo que el embarazo de Martha ocurrió en su viaje a Nueva York…? ¿Me está diciendo que nuestro hijo, es hijo de él…? Tal vez tuvieron relaciones como una manera de expiar culpas, en ella, y como una venganza de él. Y lo más seguro es que lo hicieron el día que se retrasó el vuelo de regreso, hace siete meses, exactamente los que tiene de embarazo. ¡Por Dios! ¿Qué odio tan terrible lo habría empujado a eso? ¿La historia de que él era estéril congénito fue una farsa? Y entonces… ¿por qué me la dijo?

William vuelve a mirarme con una expresión que me indica que se da cuenta de que estoy lleno de dudas. Nos conocemos lo suficiente para adivinarnos en los gestos. Está disfrutando la ejecución del concierto como nunca en su vida. Martha pega un grito. Me trae a esta realidad. Un charco de sangre, como si fuera causado por un puñal, está en el fondo de sus pies. Ella se toma el vientre con las dos manos. ¡El bebé! —dice en un gemido doloroso. (M. V.)

—¡El bebé, Arthur, el bebé! —repite Martha, mientras toma mi mano fuertemente—. El grito ha interrumpido el concierto. William mira hacia nosotros mientras Martha se queja de dolor.

—¡Llamen una ambulancia, por favor! —digo nervioso, y veo cientos de ojos clavados en nosotros—. "¡Que no se mueva…! ¡Tranquila!" ¡Que se relaje…!" son frases que vienen de las personas que nos rodean. "Soy médica —dice una mujer joven acercándose a Martha—, permita que esté a su lado hasta que llegue la ambulancia". Martha se ha quedado absorta, con la mirada perdida. William baja del escenario y se aproxima. Martha cierra los ojos y recuerda: *Hace siete meses de todo aquello. Me encontré con William, Angelique y Stephen en la puerta misma del Astor Place Theatre. Recuerdo la voz de William cuando le llamé aquel día para decirle que ya había llegado a Nueva York. "Te esperamos en el Astor para ver un espectáculo músico-teatral de Blue Man Group —dijo William—. Deja tus cosas en el hotel y ven pronto, te hemos reservado una entrada. Los papeles del divorcio pueden esperar hasta mañana. Te presentaré a un par de personas…"*

William clava la mirada en el vientre de Martha mientras extiende su mano hacia mí ofreciéndome su saludo.

—¿Cómo estás Arthur? —me pregunta sin dejar de mirar a Martha.

—¡Hola Martha! ¡Has perdido mucha sangre! No te levantes, sigue quieta, por favor.

La sirena de la ambulancia se oye en la plazoleta de San Pedro Claver, llena de público, en donde ha quedado interrumpido el concierto. (**A. F.**)

¡Nuestras culpas! Redes insospechadas como trampas del destino que nos atrapan de manera inconsciente y nos arrastran hacia el abismo de las dudas y de las miradas de William Dalloway. Eso experimentaba yo, mientras regresaba con Martha al apartamento de nuestra felicidad durante cuatro amorosos años, encerrados ahora en un silencio inexplicable después de salir del hospital donde la atendieron. Martha se dispuso a descansar por orden del médico que la vio, quien dijo que el bebé estaba a salvo, pero que ella debía guardar reposo durante varios días, sin interrupciones.

Una suave tarde de resonancias anaranjadas y violetas del Caribe cae sobre el piano negro situado en la sala de nuestro apartamento. Martha, luego de detener, por unos momentos, la lectura de *Hojas de hierba*, me miró con una sonrisa dulce —aquella que me enamoró desde la primera vez que la conocí—, ahora extrañamente alegre y liberadora, y me contó, como en un susurro: "¿Sabes...? Él nunca pudo concebir hijos. Yo lo sabía mucho antes de nuestro matrimonio. Fue un secreto de pareja. El hijo que espera Angelique es de Stephen, algo convenido por William y Angelique. Ella lo aceptó así, pero yo no quise hacerlo cuando él me lo propuso hace cuatro años, antes de venir a Cartagena. Esa es la otra parte de mi secreto, con la que no contaba William: yo estaba enamorada de ti desde ese tiempo, y ahora lo estoy más que nunca. Durante el concierto, dolorosamente llegué a sentir que dudaste de mi amor, de la paternidad del hijo deseado por los dos y de mi embarazo de siete meses. Pero sé que me amas Arthur, y también sé —es un presentimiento que tengo en el corazón—, que la música escrita por William, e interpretada por Angelique, terminará en una muerte. Temí que ocurriera públicamente al final del concierto, luego de escucharla cantar. La interrupción del concierto por lo que me sucedió a mí, impidió que mi presentimiento se volviera realidad. ¿Cuándo ocurrirá y en qué circunstancias...? Quizá Stephen sea la única persona que lo sepa". (**c. v. z.**)

Ayer a las tres de la tarde, Martha y yo recibimos una llamada de Stephen Böglander, que nos tomó por sorpresa. Stephen es la persona con quien Martha y William fueron al Astor Plaza Theatre, cuando ella viajó a Nueva York a tramitar su divorcio. Stephen —que es un destacado tenor en Estados Unidos—, comentó que había llegado a Cartagena, invitado por William, para asistir al concierto de cierre del Festival de Música. También dijo que estaba llamándonos desde un hotel en Islas del Rosario en donde estaban hospedados William y Angelique. Comentó que la noche anterior, los tres, habían planeado desayunar juntos y después ir a Cartagena a ver las instalaciones, en el Teatro Heredia, en donde se realizará el concierto de cierre en el que Stephen cantará *"Leaves of grass"*[3], la nueva composición de William.

—Yo bajé al comedor a las 7.30 y también Angelique —dijo Stephen—. Ella me comentó que William había salido temprano a caminar en la playa y que prometió regresar antes de las 8 a. m. Y como a esa hora él no aparecía, fuimos a buscarlo pensando que lo encontraríamos nadando en el mar, o tomando el sol mañanero, pero lo que vimos allí nos dejó petrificados: a doscientos metros del hotel, en un lugar solitario, vimos el cuerpo de William, tendido boca abajo sobre la arena, entre un charco de sangre y con un orificio en la sien derecha.

—¡No puede ser! —dije sorprendido, y sentí que el corazón se me aceleraba—. No puedo creer que William esté muerto.

Martha, al oír lo que dije, abrió los ojos y se acercó adonde yo estaba. La percibí preocupada, sobrecogida, nerviosa… "¿Quieres escuchar la conversación por el altavoz, o prefieres no oír lo que Stephen está comentando?" —le pregunté en tono tranquilo—. Martha no contestó; llevó su mano derecha a la cabeza y dijo: "Creo que mi presentimiento se volvió realidad". Entonces recordé que ella había pronosticado que la música escrita por William iba a terminar en una muerte. Experimenté una conmoción en todo mi cuerpo pero no dije nada. La tomé de la mano, le pedí que se tranquilizara para no afectar al bebé que está esperando, y la besé en los labios. ¿Ahora te sientes mejor…? Ella sonrió y movió la cabeza afirmativamente. "¿Y tú? —me interrogó mirándome a los ojos—. "Yo estoy bien" —mentí, para no preocuparla—, y le pedí que se sentara a mi lado. Subí el volumen del altavoz del teléfono, y le pregunté a Stephen: "¿Ya llamaron a la policía?"

En ese momento Martha y yo oímos la voz de Angelique que decía algo por el teléfono pero no entendimos nada. "No escuchamos bien lo que dices, Angelique" — manifesté intrigado.

---

3   Hojas de hierba. (N. de E.)

—Digo que el administrador del hotel llamó a las autoridades, y que vino un fiscal con varios agentes —comentó Angelique—. Ellos encontraron entre la arena, y cerca del cuerpo de William, un arma que yo reconocí como la pistola que él llevaba a todas partes.

—Y después, cuando requisaron la habitación —añadió Stephen con tono entristecido—, también hallaron un sobre en el que se leía: *"Para Stephen Böglander, Angelique, Martha y Arthur Walsh"*. Ese sobre lo tengo yo. Me lo entregaron los investigadores porque mi nombre es el primero que aparece ahí. Creo que ellos lo abrieron para leer la carta que venía adentro y para tomarle fotos.

—Yo pienso —dijo Angelique—, que el contenido de esa carta sirvió para que no nos detuvieran, a Stephen y a mí, y también a ustedes dos, como sospechosos de un crimen.

—¿Sospechosos nosotros? ¿Y cuál es el contenido de esa carta? —preguntamos Martha y yo, llenos de curiosidad y desazón—. Stephen respiró profundo, como si quisiera ahuyentar la tristeza que le producía la trágica muerte de William, y se dispuso a leer la carta.

"Queridos amig@s: No resisto más esta tortura. El tema que compuse "Leaves of grass" está inspirado en el poema de Walt Withman que es mi poeta preferido. Pensaba estrenarlo en West Hills, Long Island, en donde él y yo nacimos, pero al recibir la invitación al Festival de Música, decidí estrenarlo aquí en Cartagena, asociado al tema "The son I never had" que interpreté la noche cuando Martha tuvo la hemorragia. Lo que jamás imaginé fue que, en este viaje, mi estado emocional colapsaría".

"He aparentado estar bien ante ustedes, pero la verdad es que me siento muy deprimido. Recordar, Martha, que me abandonaste cuando más te necesitaba me dolió muchísimo. Nunca pensé que terminarías viviendo con Arthur, mi amigo de tantos años. Al principio quise vengarme, pero al final decidí perdonarlos. Ahora lo que no sé, es si ustedes me perdonarán a mí al saber lo que voy a revelarles. Aquí dejo escrito mi último secreto. No quiero marcharme sin que ustedes lo conozcan".

Stephen hizo una pausa. Martha y yo nos miramos sorprendidos y esperamos a que continuara la lectura de la carta. Lo que escuchamos después nos dejó desconcertados y con una sensación de intranquilidad extrema.

"Siempre tuve una doble vida: la de compositor exitoso y la de bisexual promiscuo. Desde joven descubrí que me atraían tanto los hombres como las mujeres; y todo hubiera seguido aparentemente igual —a pesar de mi confusión interior—, si en mi adultez no hubiese descubierto que mi esterilidad era congénita y por tanto irreversible. En ese momento hubo un caos dentro de mí; sentí ira contra el mundo y contra el destino, e inicié una vida desenfrenada y confusa. Además de las relaciones con Martha y con Angelique, tuve otras con decenas de mujeres y también con hombres que busqué en bares y prostíbulos de todas las ciudades adonde viajé, hasta que un día, antes de venir por primera vez a Cartagena, supe la noticia que me dejó a punto de infarto: Un médico de Nueva York, al ver los exámenes de laboratorio que me había pedido en un chequeo de rutina, diagnosticó que yo tenía SIDA. Este diagnóstico me golpeó tan duro que llegué a pensar que iba a enloquecer, pero en vez de controlarme, reaccioné con una mayor actividad en mi fárrago insensato. Desde ese día empecé a vivir martirizado por el temor a morir lenta y dolorosamente".

Stephen volvió a hacer una corta pausa y yo, lleno de rabia y temor por lo que acababa de escuchar, pensé que a causa de ese maldito "fárrago insensato", William pudo haber contagiado a Martha, y ella a mí. *Son of a bitch* —dije entre dientes y giré la cabeza para observar a Martha—. Vi que ella también estaba preocupada. "Stephen —dijo nerviosa—, sigue leyendo por favor". Stephen carraspeó varias veces y después continuó con la lectura de la carta:

"Ahora siento decepción y rabia porque fui el autor de mi propia desgracia y porque seré el causante del sufrimiento de muchas personas, entre ellas, ustedes, si están infectados con el virus. Me atormenta pensar que pueden morir por mi culpa. ¡Lo siento mucho! Háganse los exámenes de VIH, y también háganlos a los bebés que esperan Martha y Angelique".

"No soporto seguir viviendo en esta terrible situación que me tortura. Estoy arrepentido de mis actos pero no puedo dar marcha atrás en el tiempo para recomponer las cosas. Ahora todo está cerrado para mí. Todo está obscuro... No hallo ninguna solución, ni encuentro escapatoria. ¡Estoy desesperado! La única puerta que veo abierta es la del suicidio".

"My life is a mess, a fucking trash"[4].

"Adiós a todos, y perdónenme".

"William Dalloway".

Stephen se calló, y oímos que sollozaba. Yo le pregunté si ese era el contenido completo de la carta, y él dijo que no. "Por favor tranquilízate y termina de leerla" —le pedí—. Un lamento agudo salió por el altavoz del teléfono y escuchamos que Stephen, con voz entrecortada, le pidió a Angelique que terminara la lectura. "Ya no me importa que ellos lo sepan todo" —dijo él—, y entonces Angelique leyó el final de la carta:

"P. D. Mi último deseo es que incineren mi cuerpo y arrojen las cenizas en alta mar. Contraten un barco y suban un piano para que Arthur y los músicos de "Twin Souls", interpreten mi composición "Leaves of grass" que no pude estrenar. Dejo, en mi cuenta del banco, dinero suficiente para estos gastos, y para lo que ustedes requieran en el tratamiento si están infectados. En un sobre aparte, le indico a Stephen Böglander las claves para hacer retiros de mis cuentas bancarias; y le doy los poderes para la venta de mis propiedades en Estados Unidos. El dinero que se obtenga de esas ventas, debe servir para apoyar a los niños infectados con SIDA". ¡Damn disease!

"Ahora ya sabes, mi amado Stephen, por qué te dije tantas veces, en nuestra intimidad, que pronto cumplirías una misión altruista. Nunca olvides que, como escribió Walt Withman: "También soy como tú: con uno y muchos rostros". (J. R. R.)

---

4   Mi vida es un desastre, una basura de mierda. (N. de E.)

3

ERRANCIAS

*Relato que se desarrolla en Colombia y en Europa, con inicio
y desenlace escritos por Carlos Vásquez - Zawadzki.*

BOGOTÁ. ABRIL 12. Es hora de partir en primavera. El vuelo
es a la medianoche y mi equipaje está listo: maleta marrón oscuro, con
manija roja (así la identifico con facilidad en cualquier aeropuerto). Allí
están todas mis pertenencias, lo que necesito para viajar y vivir: ropa,
cosméticos, implementos de aseo, plancha pequeña, secador de pelo,
y tres libros que leo en español, inglés y francés —una novela y dos
poemarios—. Pasaré seis meses en París, tres en Londres; luego, tres
o seis en Madrid, y después —no lo sé con certeza—, tal vez regresaré
a Bogotá, la ciudad donde transcurrieron mi niñez y mi adolescencia,
y en la que inicié mi vida adulta. Hoy cumplo cuarenta años, umbral
memorioso entre experiencias de todo tipo (familiares, amorosas y
de trabajo), y la libertad plena que deseo tener desde mis treinta años:
el mundo abierto ante mis sentidos. Viajo ahora sin compromisos a
bordo de mi misma:

> Al oído me hablas y descifras
> palabras de errancias y ensueños,
> ocultándote en la noche transcurrida:
> sólo metáforas de quemaduras y olvidos. (**c. v. z.**)

PARÍS. ABRIL 15. Llegué a esta ciudad hace dos días y me
alojé en el apartamento de mi amiga de juventud Clarita Beaumont.
Aquí permaneceré hasta que me organice en forma independiente. El

apartamento es amplio y está situado en la Avenida Émile Zola, cerca de la estación Charles Michels, a dos cuadras de la oficina donde ella trabaja.

Clarita y yo fuimos condiscípulas en el bachillerato y después, compañeras de estudios en la Universidad Javeriana de Bogotá. Allí conocí y me enamoré de su hermano, Álvaro Beaumont, mi difunto esposo. Clarita es periodista, poeta y traductora, igual que yo, y trabaja en la Embajada de Colombia en Francia como Agregada Cultural. Está muy bien relacionada en los círculos diplomáticos e intelectuales de París. Me ha dicho que va a invitarme a participar en un recital que se llevará a cabo dentro de veinte días en el Salón Literario *La Touraine*, fundado por escritores iberoamericanos hace más dos décadas. Estoy emocionada ante la posibilidad de debutar en París con mi poemario "Laberintos".

Todos los días huyo de mi misma.
Me sumerjo y busco la razón de mi ser.
No sé si las puertas que ahora están cerradas
ocultan a la otra
en laberintos quebradizos y efímeros
o en la escalofriante incertidumbre
de la nada.

PARÍS. MAYO 5. Hoy presenté mi poemario ante un público numeroso y selecto. Estoy dichosa porque me fue muy bien. También se dio a conocer un libro de cuentos escrito a seis voces por autores de Argentina, Colombia, España y México. Mi amiga leyó un texto que había escrito sobre mi libro, muy elogioso; la aplaudieron bastante, pero la mayor acogida se la dieron al grupo de narradores Iberoamericanos a quienes prologó el Embajador de Colombia. Al finalizar el acto, Clarita me lo presentó. Es un hombre elegante y varonil, de conversación culta y agradable. Él fue muy cordial conmigo. Me felicitó y prometió leer mis poemas. A la salida del evento, mientras nos dirigíamos al apartamento, mi amiga me contó que él había enviudado hacía dos años y que actualmente no tenía ninguna relación sentimental con nadie. Yo le pregunté por qué me hacía ese comentario y ella, con una sonrisa que iluminaba sus ojos de una picardía encantadora, me dijo: "Creo que dos personas apuestas, inteligentes y libres de compromisos amorosos, como tú y como él, pueden entenderse muy bien". (**J. R. R.**)

PARÍS. MAYO 7. "No entra en mis planes atarme a cualquier tipo de relación que pueda dar al traste con mis propósitos" —le contesté a Clarita cuando me insinuó la posibilidad de una relación entre el Embajador y yo—. Ella no me respondió, aguardando sin duda mejor ocasión que le ha llegado hoy. "No sé cuáles serán tus planes, pero los de él parece que no coinciden con los tuyos" —me ha dicho tendiéndome un abultado sobre en cuyo remite, que Clarita escrutaba sin el menor recato, resaltaba el distintivo de la Embajada de nuestro país—. Era, en efecto, una tarjeta con una invitación del Embajador para asistir a un acto literario; redactada tan breve como inapelable, y junto a la tarjeta, el libro del grupo de seis escritores iberoamericanos con la dedicatoria de todos ellos, y la del propio Embajador que lo prologa. Lo que más me ha sorprendido es el críptico mensaje de él, dirigido *"a mi mágica compatriota"*, escrito con una caligrafía exquisita: *No basta con buscar en círculo alrededor del mundo. Lo importante es convertirse en estable recuerdo circular, ese que no tiene principio ni fin; como el de un abrazo.*

¿Dónde está mi lugar?
Ese lugar envuelto en desmemoria.
Donde el punto y aparte le ponga fin al párrafo
aún por escribir.

PARÍS. MAYO 17. Han sido diez días inquietantes por llamarlos de alguna forma, en los que no encontré ocasión de escribir en este diario. (Quizá seguir un diario no sea otra cosa que vivir dos veces, y he vivido tantas sensaciones…). Cuando estaba llegando a la monumental *Fontaine Saint-Michel* donde nos habíamos citado, me detuve sorprendida frente al escaparate de la pequeña librería que hay un poco antes, en la misma acera. Allí, en el centro, estaba mi Poemario expuesto sobre una brillante bandera colombiana. La luz color naranja del atardecer, refractada desde el gran rosetón de la fachada de *Notre-Dame,* parecía estar dirigida exactamente hacia mi libro, resaltando aquel "Laberintos" sobre la portada, y dejándome tan absorta que no me apercibí de su presencia hasta que su voz me tocó materialmente: "ésta es la primera sorpresa" —dijo tomándome por el brazo con tanta libertad como delicadeza, empujándome sin más explicación hacia el *Boulevard Raspail,* en cuya esquina con la *Rue de Sèvres* me retuvo exactamente en la entrada del Hotel Lutetia con una leve presión de la mano con la que me guiaba—. Quizá notó una ligera resistencia en mí, porque, sin más explicaciones, le oí decir festivamente "no es lo que piensas".

Yo aún no había dicho nada, sorprendida por la metamorfosis entre el Embajador que me presentaron unos días antes, en el recital, vestido con un pulcro traje de lana y con pelo peinado hacia atrás, y aquel hombre de pelo crespo, con jersey de cuello vuelto, cazadora de cuero finísimo, y blue jean a juego con su aspecto desenfadado. Lo único que en él me recordó al Embajador de doce días antes fueron sus gafas de montura de carey un poco pasadas de moda. En la *Brasserie* de aquel hotel, elegante y discretamente decorada con auténticas obras de arte, ya nos esperaba un grupo de personas que me recibieron como si me conocieran desde siempre, agitando un ejemplar de mi poemario cada uno de ellos, pidiéndome con tono festivo que estampara mi firma y mi dedicatoria.

PARÍS. JUNIO 17. Hoy se cumple un mes de nuestro reencuentro, aquella noche de tertulia en el Hotel Lutetia. Un mes durante el que ha crecido, entre nosotros, algo muy similar a la ternura. Todo lo nuestro, nuestras conversaciones, las cenas, los paseos tomados de la mano, las largas horas de charla, han llenado estos días dejando en nuestro interior una sensación de pertenencia y entrega carente de promesas. Todo tenía un celaje de arraigo que tengo que reconocer que me acobardaba desde lo más íntimo de mi ser, hasta que ayer me asaltó un nuevo temor mucho más real y sin disfraces: me enteré de que había llegado una orden de traslado del Embajador a Bogotá sin que apenas nos diera tiempo a despedirnos en el restaurante *Chez la Mère Catherine*, donde él me besó anoche por primera vez con una intensidad que yo respondí consciente del tiempo perdido. Los viejos manteles de cuadros rojos, casi tan viejos como el mismo Bistró, conocieron una vez más el denso sabor de las lágrimas de un desgarro circunstancial.

He pasado en París ya casi la mitad del tiempo que tenía previsto, y apenas me parecieron horas. Hoy no he querido ir a despedirlo al aeropuerto. Prefiero conservar su imagen de nuestros paseos por París, en lugar de ese aspecto "oficial" que adquiere disfrazado de su cargo. He caminado toda la mañana por nuestros lugares que recorrimos juntos —nuestros lugares, ¡qué paradoja!—, y esas pocas horas me han parecido toda una vida. Decididamente, abandonaré París, una ciudad que ya no tiene sentido para mí. ¡Punto y aparte! (**s. m. b.**)

PARÍS. JULIO 4. Ya, ya sé… dije que iba a estar seis meses en París y sólo he estado tres, pero…, nada me impide cambiar de planes. También en mi ruta prediseñada en Bogotá, pensaba ir primero a Londres y después a Madrid, pero cambié de opinión. Ahora me apetece mucho más ir a Madrid; ya tendré tiempo de estar en Londres cuando me canse de España. Necesito sol. Esa es la ventaja de no tener que soportar problemas económicos y carecer de compromisos.

Evidentemente, nada me hubiera impedido regresar con el Embajador a mi país. Incluso él me lo sugirió (o yo así lo quise entender). Pero no; no voy a regresar por ahora. Cuando emprendí mi viaje, decidí ser libre, bordear el mundo por los cuatro costados… Y me seré fiel. No quiero ataduras.

Clarita está de viaje y no regresa hasta mañana. Eso sí, la esperaré con la maleta hecha para no dar marcha atrás en la decisión de salir hacia Madrid.

MADRID. JULIO 6. Ya estoy en Madrid. Clarita me acompañó al aeropuerto y me entregó un regalo muy original: una cajita con forma de cofre llena de Haikus escritos en pequeños papeles de colores. Me dijo que cada día, abriera, al levantarme, el cofre y sacara uno al azar, que lo leyera lentamente y procurara recordarlo durante todo el día. Los Haikus, como tú sabes —dijo ella—, encierran muchos mensajes ocultos y muchas enseñanzas.

He decidido alojarme en el Hostal Cervantes, en pleno Barrio de Las Letras, ese barrio en el que vivieron Lope de Vega, Góngora y Quevedo. Justamente aquí fue donde se imprimió la primera edición de *El Quijote*. Me imagino lo que tuvo que ser esto, en pleno Siglo de Oro. Me gusta mucho el ambiente de la calle Huertas y alrededores. Por cierto, me pasó algo muy curioso al llegar a esta calle (que tiene escritos, en las baldosas, trocitos de textos de grandes escritores en letras doradas, supongo que por alusión a ese Siglo de Oro); ocurrió que de repente, me di cuenta de que tenía mi pie derecho sobre una gran zeta. Y es que yo estaba pisando el apellido de José Zorrilla, el autor de *Don Juan Tenorio*, ese seductor nato tan llevado a los teatros. Me paré y leí la inscripción dorada escrita sobre el suelo. Decía:

¡Ah! ¿No es cierto ángel de amor
que en esta apartada orilla
más pura la luna brilla
y se respira mejor?

¡Ay...! suspiré. Y el rostro del Embajador se reflejó justo encima de la figura de *Don Juan Tenorio,* cerca de la firma de Zorrilla que yo estaba pisando. Cuando me recobré del sofocón, me vinieron unos pensamientos muy extraños, y yo me dije: "¡lagarto-lagarto! cuánto donjuán anda suelto". Tomé con decisión la manija roja de mi maleta, enderecé mi espalda, levanté bien alta la cabeza, y me encaminé hacia la puerta del Hostal con paso firme. Debajo de mis pies fueron pasando todas aquellas letras del "ángel de amor" y de la seducción de ese amorío de otros tiempos.

MADRID. AGOSTO 5. Hace tiempo que no escribo en el diario. No quiero obsesionarme con tener que hacerlo todos los días. Además, he estado demasiado entretenida y no he tenido mucho tiempo libre. Hoy, en cuanto me levanté, abrí el cofre de Haikus y al azar he leído:

El sol se agita

gruñidos de oso

frutas maduras

Creo que Clarita tenía razón. Leí dos o tres veces seguidas los versos para intentar comprenderlos, y me dije: "ya encontraré la respuesta". Y así fue. Me vestí y salí a la calle sin haberme diseñado previamente un plan del día, pero mis pasos se encaminaron hacia la Puerta del Sol, que estaba abarrotada de gente en torno a la acampada del 15-M y sus cientos de "Indignados". Entré por la Carrera de San Jerónimo y oí el sonido de un megáfono. Distinguí perfectamente la voz de una mujer diciendo:

Pero ya veo moverse algunas cosas:

la gente arracimada haciendo fila

ante las canas de un solemne anciano

que firma la semilla de sus libros.

Ya empieza a germinar por muchas plazas.

Era un recital de poesía-protesta, al lado justo de la estatua del Oso y el Madroño (el Haiku volvía a tener razón). Más tarde, entablé conversación con la autora de los versos y me reveló que el anciano al que se refería el poema era el escritor José Luis Sampedro, importante impulsor ideológico de las protestas y prologuista del libro *Indignaos* de Stéphane Hessel. Me uní al grupo y yo también recité, de memoria, algunos versos míos.

Pasé todo el día con aquellos poetas y recorrimos la Puerta del Sol por todos sus ángulos. Alrededor de las fuentes del centro de la plaza, los acampados habían plantado pequeños huertos con tomates, pimientos, guisantes, etc., exactamente en las zonas que delimitaban las fuentes y en las que el césped se había estropeado debido a las aglomeraciones por las protestas. El tercer verso del Haiku se cumplía. Decididamente, Clarita tenía razón. (**A. F.**)

MADRID. AGOSTO 18. Hoy amanecí con un cansancio en el alma que me aferra al colchón de la cama. Miro al techo y lo convierto en una pantalla donde hago correr la película de lo vivido en los últimos meses. Recreo mi salida de Bogotá, la aventura en París con el Embajador… ¿Aventura? ¿Qué fue lo que realmente sucedió entre él y yo? ¿Por qué en mi diario escribo "Embajador" sin decir su nombre? ¿Hacia dónde voy? Ya compré el boleto para viajar a Londres, ciudad que me contagia su húmedo color gris. Clarita siempre me ha dicho que soy como el insecto que ronda la luz pero no se acerca lo suficiente para ser abrasada por ella. Giro la cabeza y veo mi poemario sobre la mesa de noche. Cierro los ojos y lo abro. Página 26. Leo:

Busco en el laberinto
en la humedad del muro
que llora en la oscuridad
la hebra que perdió Ariadna.
El minotauro del miedo espera
no encuentra garganta que lo expulse.
Grito de dolor
que se vuelve saliva
retorno a lo infinito
soplo de la hora
sin relojes.

Cada palabra es un reflejo de lo que soy. Salí de Bogotá huyendo de las cuatro décadas que no tengo conciencia de haberlas vivido; de los recuerdos de una infancia plasmada en fotografías; de comidas familiares los domingos; de años de estudio en colegio de monjas donde me inculcaron el temor a Dios y al sexo. Recuerdos del primer amor y el primer beso clandestino. Matrimonio conveniente y aburrido. Viudez y soledad. Nido que nunca tuvo el calor de un niño. Los libros fueron los suplentes de la pasión y del amor convertidos en poemas. Y ahora estoy en Madrid sin hacer nada, absolutamente nada, excepto sentir lástima de mí misma, del desperdicio de vida al conformarme con lo que me tocó vivir sin ir a buscar lo que realmente deseaba… ¿Deseo? ¿Qué significa esa palabra? Soy tan predecible. Mi marido en tono burlón me decía: "Doña Perfecta". ¿Perfecta? ¡Para nada! Soy un fraude, un maniquí de aparador vestido con la ropa de temporada. ¡Maldita sea! ¡Basta ya! El viajar no me libera de mí misma. Soy el equipaje que cargo.

Un silencio luminoso atrajo su mirada sacándola del monólogo interno. La pantalla del ordenador portátil anuncia la presencia de un mensaje. Con actitud displicente lo abre. Es él —piensa—. Lee el mensaje. Una sonrisa irónica se dibuja en sus labios. Frunce el entrecejo y exclama: ¿Encontrarnos en Londres? ¡Precisamente donde pienso ir! ¿Para qué? Estaba a punto de responder negativamente cuando la cortina de la ventana, movida por el viento, tumbó al suelo la cajita con los Haikus dejando salir uno escrito por Luis Carril:

Pasó el otoño,

las hojas de los árboles

ya son camino.

Sus ojos se llenaron de lágrimas. Escribió: "Sí…, nos encontraremos en Londres". Cerró el ordenador, salió de la cama, se miró al espejo, y con determinación dijo: "Si tú quieres, puedes quedarte ahí, atrapada sin tiempo, yo voy a vivir las horas que me quedan, a encontrar la salida del laberinto sin hebra y a liberar al Minotauro que me embiste desde dentro". El agua tibia de la ducha terminó por llevarse los últimos vestigios de la mujer errante.

LONDRES. AGOSTO 22. El vuelo a Londres fue como un suspiro. El aeropuerto me envolvió en su vorágine de viajeros perdidos buscando las salas de embarque. Ya estoy aquí, enfrentando una decisión. La puerta de salida me parece la entrada a una nueva etapa de mi vida. ¿Estará él esperándome tras ella? (**L. H. M.**)

…No vino a buscarme. Ha pasado una hora desde el aterrizaje y no hay señales de él. Primero fingí entretenerme en el *Free Shop* buscando un perfume; después empecé a transpirar copiosamente, preocupada, nerviosa, mientras una llovizna tenue comenzó a empapar los vidrios del aeropuerto y la pista de aterrizaje. No me resignaba al bochorno de la ilusión rota, y vanamente intenté tomar un café negro que se enfrió en el pocillo sin que yo fuera capaz de llevarlo a mi boca. El miedo comenzó a corroer la poca serenidad que yo tenía. Tomé una servilleta y en forma apresurada escribí:

Cuando la llovizna
moja el cuerpo
en sus agujas de agua
siento que un dios gigante
desploma sobre la piel
sus innumerables fatigas.

¿Debía llamarlo? ¿Debía ir al Hotel Corinthia London, en donde él está alojado? El rescoldo de mi orgullo no me lo permitía. Mis manos comenzaron a temblar. La libertad… mi libertad. ¿Dónde se reducía hasta parecerme una cosa inútil, sin valor? He construido mi propio laberinto en nombre del afecto. Llamo a un taxi. Doy la dirección de otro hotel. No le daré el gusto de mostrarme derrotada. ¿Tuvo algún inconveniente a última hora? ¿Qué pudo haber sido? Dos lágrimas se confunden con la llovizna tenaz del atardecer; me las borro con el dorso de mi mano. A la media noche, con mi cabeza revuelta en tensión y forzada a dormir escucho lejano el timbre del celular. Lo apoyo en la almohada, es su voz. (**M. V.**)

CARTAGENA. ENERO 25. Ingreso al maravilloso laberinto amurallado de esta ciudad antigua, a sus calles cuyos nombres trazan recorridos poéticos inimaginables, libres. Días de instancias y estremecimientos que incendian mi piel y mi memoria: *Media Luna, Campanario, Soledad, Estrella, Damas, Marina, Ronda, Artillería...* Saboreo un ron blanco caribeño, observo desde el Baluarte el trasegar de las carrozas tiradas por caballos sudorosos, oigo voces de remotos acentos de Andalucía fabulando el pasado de la ciudad, y escucho el tamborileo de los cascos y el crujir de las ruedas sobre el empedrado memorioso. Una bella y sensual novia, celebra sus nupcias y la fiesta pinta de acuarelas el Hotel Santa Clara. Multitudes vespertinas, y un untuoso atardecer anaranjado y violeta. A bordo de mi misma, palpita en el horizonte un aire denso de sensaciones irrefrenables que me hacen abrir nuevamente este diario, cerrado desde hace cinco meses:

Nada detenemos
nada retenemos,
tan solo quizás una sospecha:
pasamos como espumas marineras
sobre el agua azul de los espejos.

CARTAGENA. ENERO 26. Escribo en la madrugada de vientos cruzados del Caribe estas líneas agónicas, recordando las semanas compartidas con él en Londres, caminando en sus parques, visitando museos, conversando en restaurantes, bares y "pubs" a orilla del río. ¿Recuerdos nostálgicos?

Olvido su rostro por momentos,
entonces su nombre me ilumina
en mi laberinto de dioses silenciosos
para buscar en rosadas esquinas su memoria.

Alucino. Rememoro caricias, palabras y besos de fuego. Sus pasos ligeros por esa Londres indiferente pero imperiosa, tomados de la mano, presa yo de sus brazos y de nuestras historias viajeras. Y el pálpito creciente de una intuición de despedida definitiva: él, hacia la India misteriosa y lejana, y yo, regresando a Colombia. ¿Qué nos unía de manera pasajera? ¿Qué nos separaba abismalmente? Errantes los dos.

Tormenta de agua y fuego
agita mi lábil memoria,
estrépitos de dolor e infortunio:
dejaste la nave antes de partir,
sin palabras ni caricias,
como si una deidad desconocida
anunciara nuestros fracasos.

Desayuno jugo de naranja mordida por este sol del Trópico, y suave café excelso. A las diez y treinta de la mañana participaré en una Mesa dentro del evento "Hay Festival" sobre *Poesía femenina moderna*. Mi intervención será sobre Yosano Akiko, y comenzaré con una de sus tankas más seductoras: *"a los humanos/ que reclaman amor,/ les pondría una miel envenenada/ sobre los labios: ese es mi deseo…"*.

Leeré mi breve ponencia en compañía de Joumana Haddad, poeta libanesa, y de mi queridísima amiga Clarita Beaumont, que ha viajado a pasar vacaciones a Cartagena, desde Lisboa, en donde ahora es Agregada Cultural de la Embajada de Colombia.

CARTAGENA. ENERO 27. Mis palabras fueron bien recibidas, con aplausos entusiastas. Todos los ojos grises eran espejos —en su mayoría femeninos— de mi cuerpo y escritura. Al final, Joumana, Clarita y yo, leímos textos poéticos breves. Entre los poemas que leí, tomé uno de mi libro "Laberintos" presentado en el Salón Literario *La Touraine* de París, hace nueve meses. ¡Qué fugaz es el tiempo!

Tráeme una bujía y un papel
—blanca hoja crujiente como un dios
que respira tus silencios—,
para escribirte en mis deseos
y desearte en mi escritura.

CARTAGENA. ENERO 30. Mañana viajo a Cali, ciudad musical de sones y salsa; días después lo haré a Bogotá, mi ciudad natal, y a Medellín, donde participaré en el Festival Mundial de Poesía. Luego, invitada por Joumana, iré al Líbano legendario, y al Portugal de la saudade y Pessoa, donde volveré a encontrar a Clarita.

Mi libertad está en las páginas que sueño, en los cuerpos que enamoro y escribo. Aquí deseo ser siempre otra, nueva, nómada, desconocida pero imaginada:

Muerdes esa crujiente manzana roja
y el Paraíso entreabre sus puertas:
el saber se oculta en el fruto
y en tu boca renace mi memoria.

CALI. ENERO 31. Hoy cierro este diario de silencios y algarabías. Seguiré viajando sin compromisos a bordo de mí misma. Soy tránsito, soy errancias eróticas y literarias. Todas las melodías en mi piel y en mis recuerdos: poesía viajera escrita en las líneas de las manos, acariciando nombres. (**C. V. Z.**)

4

La carta

Relato que se desarrolla en España y en Puerto Rico,
con inicio y desenlace de Socorro Mármol Brís.

Este año el Otoño en Madrid parece más otoño que otros años; más mullido, más tornasolado, más dulce. "Debe ser que la crisis le aprieta los candados a las arcas municipales y no tienen personal que retire las hojas caídas durante la noche" —piensa Camila, recreándose en el suave rumor de la alfombra vegetal que cruje bajo sus pies, mientras acaricia, con una pasión tardíamente primaveral, el sobre que acaba de recoger en su apartado de correos: la carta esperada durante tantas estaciones—… Nunca dudó de que acabaría llegando, y que con ella, se hundiría lo que habían sido sus últimos treinta años. La leyó de una ojeada y supo que había llegado la hora.

Una ráfaga de viento helado viene desde el Guadarrama con su saña invisible, arrancándoles a los castaños algunas hojas que quedaron asidas a los últimos intentos de los árboles por conservar su dignidad y sus ropajes, dibujando pequeñas manchas ocres ante los ojos de Camila. "En el Caribe no hay otoño" —recuerda la voz chispeante de su amiga Isqueila cuando celebraron juntas la emblemática fiesta de los Reyes Magos en Puerto Rico, metiéndose desnudas en el mar—. Sumida en sus ensoñaciones, Camila no es consciente de que el bordillo de la acera no es el límite donde las olas dejaban un rastro de dulzura antes de retirarse hacia sus eternas profundidades, ni el chirrido que oye frente a ella es el graznido de los albatros iniciando su pesca madrugadora, sino un inservible intento de frenos incapaz de detener la marcha del autobús que alcanza a la mujer dejándola rota sobre el asfalto, bajo la alfombra del otoño madrileño. "Dios mío, que nadie lea la carta. ¡Esta carta, no!" Es el último deseo que se diluye en el pensamiento de Camila antes de que su cuerpo aún deseable deje de pensar y de sentir para siempre. (**s. m. b.**)

Antes del trágico accidente, Camila había tomado la carta en sus manos y la había apretado contra su pecho para luego guardarla en el bolso, justo en el momento de subirse al metro de *Cuatro Caminos*. En *Avenida de América* cambió de línea hasta llegar a *Príncipe de Vergara* donde le esperaba el trabajo; iba ese día con tiempo suficiente; las ganas de recoger la carta le habían hecho levantarse más temprano. Aunque ha llegado a su otoño, ha de seguir buscándose la vida: "hay muchas casas que limpiar y se sacan unos euros por ello". Estaba absorta en el andén, con el bolso cruzado en forma de bandolera y apretándolo contra su cuerpo, como si temiera que al no hacerlo así, algo del interior pudiera escapársele sin que ella se diera cuenta.

A su llegada, el tren escupe a un montón de hombres y mujeres que dejan hueco a los que esperan. Ha tenido suerte, encuentra un asiento libre nada más entrar. La gente lee libros y periódicos; ella abre la cremallera de su bolso y, lentamente, rescata el sobre. Una vez más, lee:

Ambos lo hemos intentado. Tú, en España sola con tus hijos. Yo, en Puerto Rico con mi familia, y ahora es el momento de enfrentarnos a la verdad. Te envío también ese cuaderno, el que dijiste que te guardara para que nadie lo viera. Lo he custodiado como el mayor de los tesoros. Me pregunto el porqué de querer tenerlo ahora contigo. Tal vez desees rencontrarte con tus palabras.

Camila está ya a punto de llegar a su destino, y ha aprendido casi de memoria cada uno de los párrafos de la carta. "Quiero que él venga a Madrid" —piensa—. Poco a poco recorre los escalones que la devuelven al aire libre de la calle. "Aún me sobra tiempo" —calcula, y decide dar una vuelta por el parque del Retiro que le queda casi a un paso—. Las hojas de los castaños parecen barnizadas de tonos ocres. El otoño está dentro y fuera de sí misma. Sus pasos se dirigen hacia el Palacio de Cristal. Se sienta bajo la gruta mirando a los cipreses de los pantanos que emergen del estanque. Un ligero viento hace que lluevan hojas multicolores sobre el agua, que quedan flotando como las barcas de su Mar Caribe. "¿Y si fuera yo quien viajara a Puerto Rico? —piensa—, pero… no…, no quiero alejarme tanto de mis hijos" —decide.

Toma ahora el cuaderno entre las manos: confesiones escritas día a día durante aquellos años, lugar donde encontrarse consigo misma, ser ella misma, compartir. Comienza por el final de lo escrito:

Mañana salgo para España con mi hijo. Allí tendré otra vida. Todo será mucho más fácil. "De esto hace ya treinta años" —piensa y suspira, mientras retoma su marcha para alcanzar el otro lado de la calle de Alcalá donde coches y autobuses no dejan ver el asfalto. De pronto, el chirrido de los frenos del autobús. Después, la nada. (A. F.)

Las paredes de la morgue le parecieron a Miguel González lápidas desteñidas. La llamada de la policía notificándole el accidente fatal de su madre, lo había dejado trastornado. No avisó a sus hermanos, "para qué" —se dijo—. María estaba en León con su marido, y Efraín, el pequeño, trabajaba en Canarias. Les informaría después de arreglar el asunto de la autopsia.

—¿Reconoce el cuerpo de su madre? —preguntó el médico forense—, se requiere de su firma para seguir con los trámites y entregarle las pertenencias de la occisa y posteriormente, el cuerpo para la inhumación.

Miguel González había llegado a España con su madre, procedentes de Puerto Rico, cuando tenía dos años de edad; ahí había crecido y visto nacer a sus dos hermanos. "Los ricos toman lo que quieren y luego lo abandonan", la había escuchado decir una noche que hacía confidencias por teléfono con su amiga Isqueila.

Camila fue padre y madre al mismo tiempo, trabajando dobles turnos como empleada doméstica en casas de barrios exclusivos de Madrid. Ahora reposaba sobre una fría plancha en la morgue. Después de firmar las hojas que le presentó el médico, le entregaron las escasas pertenencias: un bolso con treinta euros y algunas monedas, una identificación a nombre de Camila González, una estampita de la virgen de la Almudena y un sobre con sello postal de San Juan de Puerto Rico. Salió del edificio sin saber a dónde ir. Un viento helado le pegó de lleno en el rostro. En la acera opuesta vio una cafetería. Se dirigió a ella y pidió un café.

Miguel había logrado graduarse como perito de la construcción; tenía trabajo, una esposa y dos hijos. Entender a su madre nunca fue prioridad, ella siempre tenía prisa para hacer todo. Trabajaba más de ocho horas al día, a veces doce, y siempre estaba de buen humor; cantaba canciones que hablaban del "bohío", del "Borinquén" y de lugares caribeños. Historias sobre esclavos, estancieros y bellezas exóticas poblaron su imaginación. Ella tenía un modo de contarlas que hacía que las vieran en forma real. "Madre, fuiste una gran persona, con muchos secretos, pero una buena madre" —pensó Miguel limpiando las lágrimas de los ojos.

Después de un rato de estar mirando por la vidriera de la cafetería decidió leer el contenido del sobre donde estaban una carta y un pequeño cuaderno. "No creo que le importe, ya está muerta" —pensó—. Sacó la carta del sobre y comenzó a leer. A medida que sus ojos recorrían las líneas sus dedos se crispaban apretando el papel. Un llanto convulso lo atrapó. Miguel movía la cabeza de un lado a otro tratando de expulsar las palabras que taladraban su cerebro. "¿Por qué, mamá, por qué?" (**L. H. M.**)

"Amor mío, mi niña", esas palabras precedían todas las cartas, la última y las demás. Palabras que le daban vueltas como puñales. Miguel tuvo que revolver los armarios, la ropa, sus cosas íntimas hasta

encontrarlas. Le llevó horas deducir el escondite: el cuadro de sus abuelos al que su madre le hizo poner un marco oval que ella acariciaba cuando las tormentas se ponían furiosas, o cuando había problemas de dinero imposibles de solucionar, o cuando su hija fue internada en el hospital por apendicitis. En cada crisis, Camila había abrazado ese cuadro como la tabla a la que se aferra un náufrago en medio de la tempestad. Miguel le dio vuelta, lo palpó en su revés y ahí, bajo el papel madera, estaban todas las cartas.

Girones de palabras cargadas de pasión. Armoniosamente, en su escondite, unas empujaban a otras. Una vida desconocida para Miguel en esas cartas. ¿Fue su padre quien las escribió? Miguel las mira alineadas sobre la mesa. Quiere conocer su contenido, y a la vez niega la evidencia. Sus hermanos saben menos que él. Ella escondió, toda la vida, los secretos de su pasado. Ahora comprende que su madre vivió una existencia que no merecía ni deseaba.

Le viene en oleadas el recuerdo de su ternura. La manera enérgica con que defendía los espacios maternales para sus hijos. Sus rasgos aún bellos en la madurez. Vuelve a las cartas y al cuaderno. Trata de hilvanar fechas. La desesperación lo vence. Un sollozo hondo le arranca desde el estómago. Encierra su cabeza entre las manos y llora como un niño. (**M. V.**)

Cuando Miguel González terminó de leer las cartas y el cuaderno que contenía el diario que escribió su madre antes de viajar a España, comprendió, de golpe, por qué él llevaba ese nombre y ese apellido. Una foto pegada en una de las páginas del cuaderno le reveló el secreto: Mostraba a un hombre y a una joven, abrazados en una playa de arenas blancas, posiblemente en Puerto Rico: él, alto y fuerte, de unos treinta y cinco años de edad, y ella, una joven de tez blanca quemada por el sol, de dulce mirada y hermoso cuerpo, de unos veintitrés años. Sin lugar a dudas, la joven era su madre, y el hombre de amplia sonrisa (de un gran parecido a él), tenía que ser su padre desconocido.

Su madre nunca había querido revelarle esa parte de la historia. "Algún día la sabrás" —le había dicho en varias ocasiones cuando se lo preguntó—; y ante su insistencia había agregado: "Prometo decírtelo cuando yo llegue a la edad otoñal". Ahora, desconcertado y sorprendido, observando detenidamente la foto que tenía una leyenda en la parte posterior, pensó que tal vez esa era la forma en que ella le estaba cumpliendo la promesa. Miguel leyó la inscripción: *"Nuestro amor no envejecerá jamás, aunque algunos digan que no lo merecemos y se opongan a nuestra unión". C. G. y M. G. B."* y pensó que esa frase tal vez la escribió su madre, Camila González; o quizá su presunto padre, Miguel González Benavides, tal como aparecía el nombre de él en la última carta que envió a Camila, y que ella leyó antes de que el autobús la atropellara.

Por el contenido de esa carta y por lo escrito en el cuaderno, Miguel supo que el hombre a quien ella amó verdaderamente fue a ese M. G. B., y entendió por qué lo bautizaron con el mismo nombre. También supo que cuando su madre quedó encinta, se desempeñaba como secretaria privada de M. G. B., quien en ese tiempo era aspirante a la Alcaldía de la ciudad de San Juan, y estaba casado con la hija de un importante y rico empresario.

Ahora sabía que la decisión de emigrar a España —que su madre comunicó a Isqueila, su amiga de confianza desde la niñez—, la había tomado dos años después de que M. G. B. ganó las elecciones y asumió la alcaldía. Aparentemente, el motivo principal fue el de acallar rumores que perjudicaban la imagen del Alcalde; pero Miguel intuía que un secreto mayor estaba escondido en la relación amorosa de su madre con M. G. B. Pero… ¿cuál era ese secreto que ella escondió con tanto celo? Tal vez nunca lo conocería, o quizá podría descubrirlo viajando a Puerto Rico.

Después de su exilio en España, todo había sido difícil para Camila. Ese gesto de amor y sacrificio incondicional hacia M. G. B. no había tenido reciprocidad por parte de él, quien nunca se animó a renunciar a su vida de empresario y político. Se acostumbró a los halagos del poder y a la vida holgada en su país, y aunque aseguraba que seguía amando a Camila, no se decidió a divorciarse de su esposa, ni a viajar a Madrid para empezar una vida nueva. Se limitó a girarle una pequeña mesada que en muchas ocasiones no llegó. Camila, herida en su orgullo y dignidad, nunca le reclamó nada, y ante las necesidades apremiantes para cubrir los gastos de ella y de su hijo, tuvo que salir a buscar trabajo en el único oficio que podía desempeñar (por no tener visa de trabajo), que era el de las labores domésticas que siempre fueron humillantes para ella.

Desde entonces vivió otros dramas que la llevaron a un otoño emocional tornasolado, como fueron los otoños madrileños que ella contempló durante tantos años desde su modesta vivienda. La belleza de su rostro y la escultural armonía de su cuerpo fueron, en los primeros tiempos, una desventaja porque provocaron que algunos lujuriosos patrones de las casas opulentas donde trabajaba, la acosaran con impunidad total —a escondidas de sus esposas—, y se aprovecharan de la indefensión de ella. De esas violaciones habían nacido un niño y una niña, los dos medio hermanos de Miguel, que no sabían nada de esas historias. Él tendría que decidir si era conveniente contarles la verdad a sus hermanos, cuando llegaran de León y Canarias para asistir al entierro de su madre, o esperar otro momento, tal vez después de que él intentara conversar con su padre en San Juan de Puerto Rico. Ésta era la ocasión —como había escrito M. G. B. en la última carta—, de "enfrentarse a la verdad" para desvelar todos los secretos. (**J. R. R.**)

Y la verdad era el mismo M. G. B. Un espejo de cuerpo entero ante el cual Miguel se detendría estremecido. Su padre lo miraba desde varias fotografías colgadas en las paredes de la biblioteca. Esta fue la impresión que tuvo él cuando entró a ese lugar, en la vieja mansión frente al Mar Caribe. Allí se reconoció en las diferentes fotografías, como si él mismo hubiera saltado a un abismo interior conocido en el pasado. En todas las fotos creyó identificarse: en un velero en mitad del océano, en una reunión política importante, en el despacho de la Alcaldía… En esas imágenes encontraba la memoria familiar y social, y los rostros y nombres del pasado; entonces, como una sombra de respuestas angustiantes, M. G. B entró al estudio y se quedó observando a Miguel con su mirada envejecida.

Miguel tardaría en percatarse de esa presencia gris, encontrándose reflejado en esos ojos tan parecidos a los suyos.

—Te habría, o mejor, me habría reconocido entre un millón de rostros —dijo M. G. B. con entusiasmo—. Eres mi juventud, en la época de mis triunfos políticos.

—Y de sus conquistas amorosas que, en la isla, dicen fueron innumerables. En sus manos, como redes seductoras, atrapó a mi madre Camila, y a muchas jóvenes ingenuas como ella. Luego, su cuerpo de seguridad las alejaba de usted. No volvía a mirarlas ni a recibirlas. Las abandonaba a su suerte, enviándolas por conveniencias familiares y políticas, fuera del país. Nada lo ataba a todas esas conquistas de patriarca egoísta. Sus hombres las llevaban al aeropuerto, y su memoria las perdía rápidamente.

—Pero, Camila fue diferente. Tú no conoces la historia completa. Yo la amé mucho, a mi manera…

—A su manera, señor. Usted le escribió durante años, sin pensar en las condiciones difíciles en las que ella vivía en España, afirmándole su amor eterno, pero cobarde. Y yo sería el hijo de un don Juan incurable y mentiroso.

—La realidad es más tenaz que los sentimientos. Camila fue de verdad el más grande amor de mi vida —dijo M. G. B. mirándolo siempre a los ojos, y añadió—: Tú eres mi nombre, mi pasado y mi futuro. Mi mujer y mis hijas perecieron en un accidente automovilístico, en los días en que Camila dejó de escribirme y se ocultó para siempre. Ahora soy un viejo enfermo y tú eres mi único heredero, un náufrago que regresa para triunfar en el pequeño reino de este mundo, Puerto Rico. (c. v. z.)

Fue justamente en ese instante cuando Miguel se dio cuenta que el color canela de la piel de su padre, era el mismo color que había visto cruzarse en su camino durante los días que llevaba en la Isla. El mismo que había visto ir y venir en todas direcciones delante de sus ojos cuando cada mañana se sentaba en la Plaza de Armas del Viejo San Juan retrasando el momento de encontrarse con el padre ausente. El mismo color canela que teñía la piel de Camila, su madre, aún en los días más helados y blancos del invierno madrileño. "Quizá no es más que la luz del atardecer caribeño" —pensó tratando, sin conseguirlo, de calmar el desconcierto que se amontonaba en forma de sospechas inmateriales en el fondo de su torturado cerebro.

Sintió que una ira incontenible le subía hasta los labios, donde se quedó detenida súbitamente, atajada por la voz de su padre:

—¿Te encuentras con ánimos para ver estos documentos? —le preguntó dando por hecho que sabía más de lo que realmente sabía.

—¿Qué documentos? —preguntó Miguel sintiéndose ridículo ante la sonriente serenidad de aquel hombre.

—Los que mencioné en mi última carta; los únicos que podían convencer a tu madre para que regresara a Puerto Rico. Los que, tras treinta años de consternación, nos hubieran devuelto la paz.

Ahora el hombre, sin darle tiempo a responder, retiró parsimoniosamente una pequeña baqueta de las manos de una de las miniaturas que adornaban un magnífico chifonier semioculto al fondo del salón. Inesperadamente se abrió un compartimento secreto del que su padre sacó un legajo de papeles amarillentos que le tendió mientras decía: "Aquí los tienes".

Miguel tomó los documentos con evidente aprensión, sin atreverse a desplegarlos. Por alguna razón sabía que aquellos papeles iban a cambiar su vida.

—¿Te das cuenta? —decía ahora su padre, como si le hablara a Camila y no a él—. "Nunca fuimos hermanos, Camila, como todos creíamos. Ahí está el reconocimiento de tu propio padre. Lo firmó cuando supo que le quedaban pocas horas de vida. Ese fue su gran secreto. Si mi padre pensó que también tú eras su hija fue porque así se lo hizo creer la negra Petronila que trabajó tantos años para él. Fueron tiempos convulsionados y difíciles que nos hicieron tomar decisiones dolorosas" —decía ahora el viejo M. G. B. dejándose caer sobre una mecedora mientras repetía una y otra vez—: "Nunca fuimos hermanos, ni nuestro hijo era —como entonces se decía de tapadillo—, un engendro del demonio. No, Camila, no hubo ningún incesto. Nunca fuimos hermanos tú y yo. Tu hermana fue Isqueila. ¡Podíamos haber sido tan felices…!".

Miguel mira al viejo que, a la luz de la luna llena, parece haberse perdido en el laberinto de un sueño delirante y desasosegado, y se alegra de que sea de noche; de que su padre se haya dormido soñando con un tiempo remoto; de que sólo el canto del coquí pueda ser testigo mudo de las lágrimas que descienden por sus mejillas redimiéndolo definitivamente de su eterna y nefanda orfandad.

—¿Te has dormido?— pregunta Miguel tuteando por primera vez a su padre, sin obtener respuesta.

Entonces, amparado por la clandestinidad de la cálida noche, y ungido por un deseo de reconciliación, besa la frente del hombre que nunca pudo ejercer de padre, y se tiende en el suelo, a su lado, como un perro fiel deseoso de recibir esa caricia de desecho que siempre anheló.

Un sueño redentor se apiada de ambos hombres, llevándolos a paisajes en los que Camila, vestida con una leve túnica de algodón blanco, adorna su pelo con hermosas rosas chinas de color escarlata. A su lado, un niño de apenas dos años juega en la playa ajeno al beso con que sus padres reconocen su amor apasionado. (**s. m. b.**)

5

TOPOS

*Relato que se desarrolla en España, con inicio y
desenlace escritos por Ángeles Fernangómez.*

Ahora sí. Ahora tengo todo el tiempo para escribir lo que
desee y para repasar esta historia mía de soledad y oscuridad. A decir
verdad, ya no estoy tan solo: en mi mazmorra, en este sótano que no
existe para el mundo, ella me visita, me trae comida y nos besamos.
Luego, igual que vino se va, sube por la trampilla camuflada hacia la
casa, y yo la oigo cubrir con la tabla el agujero y recubrirlo con paja
seca para que nadie note que allí hay un escondite. Después escucho
sus pasos alejarse, y todo se queda mucho más oscuro.

Alguna noche cometemos una imprudencia: Inés me deja
abierto el escondite y entonces subo a la casa y me cuelo a su cama —
nuestra cama—, hasta que el primer rayo de luz nos amontona el miedo
y hace que veamos tricornios por las rendijas de las contraventanas.
Además, hay que tener cuidado de que no me vean los niños, porque
se pueden ir de la lengua sin querer, ya que son chiquillos.

¡Puta guerra! Los sublevados ahora se hacen llamar *los nacionales.*
Nosotros somos *los rojos*; ni siquiera nos llaman *republicanos*. ¡Jodidos
Franco y sus secuaces! La España republicana se fue al carajo; se acabó
la libertad, sólo hay odio; dos Españas; nada hay peor que pelearse
en casa.

¿Cuántos seremos los que estamos viviendo como topos por
miedo a ser atrapados? Las noticias que me llegan dicen que la cosa
no pinta nada bien. ¿Qué habrá sido de Adrián y Esteban? Los tres

compartimos el pozo abandonado que está detrás del Cerro, el de *la Diabla*. Por lo menos allí podíamos hablar, aunque en susurros. Más de una vez creímos morirnos de miedo cuando oíamos pisadas en lo alto que resonaban en la oquedad de aquel pozo. La Guardia Civil lo rastrea todo. Hicimos una cueva al fondo, por un lateral del agujero. ¿Cuánto tiempo estaríamos allí... tres, cuatro años? Cuando se hacía de noche, uno de los tres bajaba al pueblo, al que le tocara. Ellas nos esperaban en algún escondrijo, con el delantal recogido, como si vinieran de atropar algo del huerto. Nos contaban alguna noticia en un abrir y cerrar de ojos —siempre mirando a todas partes por si acaso—, algo de lo que hubiese pasado por el pueblo, o lo que se oía en la radio. Después, deshacían el lazo del delantal cargado de comida, le hacían dos nudos, como un hatillo, nos lo pasaban y, con él en la mano, corríamos otra vez al pozo, intentando que nadie nos viera. Y así un día tras otro. Inés salía siempre a esperarme por detrás de la bodega las noches que me tocaba a mí.

"Dile a Andrés que se venga al pozo de *la Diabla*. Allí estamos Esteban y yo. Y donde caben dos, caben tres; dile que venga". Eso fue lo que Inés me contó que le había dicho Adrián cuando bajó al pueblo. Ella había ido esa noche a acompañar a la mujer de Adrián que iba con el delantal cargado de comida; juntas disimulaban mejor.

Anoche Inés no quiso que saliera del sótano, dice que hay que ser precavidos, porque la cosa está muy revuelta. Al parecer, los guardias han cogido a unos cuantos ya. A algunos los han metido en la cárcel, a otros los han fusilado sin preguntas. ¡Puta guerra! (**A. F.**)

El silencio de la noche fue interrumpido por el aullido de los perros. El golpe hueco de las botas contra las baldosas de la calle atravesaba las paredes. La gente se santiguaba y se metía bajo las mantas creyendo quedar protegidos. Golpes en las puertas, gritos, llantos, motores encendidos y maldiciones rencorosas. La sangre corría de prisa por las venas alentando el ritmo del corazón. "Es la patrulla del amanecer", se comentaba en voz baja. Andrés se encogió abrazando sus piernas en el rincón más obscuro del sótano, temía por Inés y sus hijos; sabía de los delatores pagados por los falangistas que vendían a los parientes, a los amigos, o a quien pareciera republicano. Bastaba que fuera masón, intelectual, maestro, sindicalista… Todos eran reos de traición al Estado. Onésimo Redondo se jactaba de fusilar más de cuarenta por noche siguiendo las indicaciones del general Mola: "Es necesario propagar una atmósfera de terror. Tenemos que crear una impresión de dominio sobre cualquiera que sea defensor del Frente Popular, abierta o secretamente. Todos deben ser fusilados de inmediato".

Para ahuyentar al miedo que lo invadía, Andrés se puso a pensar en su mujer, en sus hijos y en el mundo que ambicionaba darles, pero las ideas no llegaban a materializarse; las imágenes de amigos fusilados en el campo de San Isidro, mujeres violadas en su propia casa y obreros colgados de las torres de la iglesia, lo perturbaban. Repasó en su mente los sucesos que acontecieron en los inicios de la guerra: "En Zaragoza asesinaron a más de seis mil personas. La toma de Badajoz fue una gran matanza por las fuerzas moras que tomaron la ciudad al mando del general Yagüe, quien ejecutó más de cuatro mil personas, algunas por el simple hecho de portar moretones en sus brazos, que él suponía eran causados por haber empuñado un fusil en contra de las fuerzas nacionales".

El sonido de la voz del dictador saliendo por la radio de galenas arengando al pueblo español para acabar con los "rojos traidores a Dios y a la patria", taladraban los oídos de Andrés quien la escuchaba sin emitir un sonido, tragando sus lágrimas con rabia. Ahora, simplemente era un "topo" escondido bajo la tierra para salvar la vida.

—Inés, mañana tendremos que irnos más temprano, en cuanto anochezca —dijo la esposa de Adrián—. Dicen que vendrá un camión con camaradas, son los que han escapado de León. Adrián me dijo que te pidiera acompañarme; tenemos que llevar vendas y ungüentos porque hay heridos.

—No sé si podré hacerlo… no tengo con quién dejar a mi niña, además siento que me vigilan; desde ayer hay un hombre rondando la casa. No quiero arriesgarme a que descubran el escondite de Andrés.

—La causa no es de un solo hombre; muchos arriesgan su vida peleando. Tu marido está seguro. Vamos y venimos antes del alba. Adrián ya me dio la contraseña para decirla al que nos va a llevar. Si nos detienen los de la Guardia Civil les decimos que vamos a Tordesillas a comprar alimentos.

Inés miraba con algo de recelo a la esposa de Adrián; era joven y de modales desenvueltos, una socialista comprometida con el Partido. Desde que la conoció se habían hecho amigas, unidas por el peligro que corrían sus maridos. Adrián y Andrés fueron compañeros de armas en Melilla. Se conocieron en el servicio militar, y ya desde entonces compartían ideas socialistas y los deseos de participar en la lucha para liberar a España de los nacionales. Inés, hija de un productor de vinos, no compartía del todo las ideas de su marido, pero lo amaba; se había enamorado de él por su elocuencia y buen porte. Su padre —pro falangista— se opuso a la boda, pero de igual manera Inés se casó con Andrés. Ahora ella sorteaba el riesgo de esconder a su marido en un sótano y llevar alimento a los "rojos". Su vida, estaba en peligro. (**L. H. M.**)

* * *

Estoy yendo a tropezones junto a la esposa de Adrián. Ella habla alto entre los soplidos de cansancio, tiene ojeras de mal sueño, tiene labios partidos por el frío. La veo joven pero con marcas tan severas como seguramente también mi cara las tiene. Toda España tiene marcas y tajos y muertos a quienes llorar. Voy a su lado con el alma encogida de premoniciones. Recuerdo las piedras negras del sueño que tuve la noche anterior, alargadas y puestas en hileras como personas muertas. El hambre, el pedazo de pan que se aleja. Llevaba muy apretadas las vendas hechas con jirones de sábanas. Había tenido la precaución de hacer paños por si nos cruzábamos con la Guardia Civil. Y el ungüento resbalaba entre las uvas. Miré los campos antes cubiertos de viñedos, ahora unos sarmientos secos se prendían porfiadamente de los alambres, parecían brazos mutilados... o sería que todo lo que crecía sobre el suelo exhumaba nuestra desgraciada revuelta. Los ojos se me llenaron de lágrimas, pero no dejé caer ni una sola. No podía. No debía llorar.

Pasamos una cueva, luego otra. La humedad nos quitaba el aliento y las palabras. El silencio intensificaba los pasos. Alguien gritó una frase y contestamos al mismo tiempo la contraseña. El agujero no tiene ni una sola luz. Un hombre enciende un fósforo, la llama alarga las sombras. Hay cinco, ocho hombres apilados oliendo a sucio, a sangre, a orines. Son los que han escapado de León. Tienen la consistencia de hombres pero el aspecto es de animales extraviados, acorralados, vacilantes. Casi no hablamos. Un balde con agua fresca hizo las veces de desinfectante. Arrancamos, con los dientes, las vendas. Yo espanto a los manotazos unas moscas verdosas, grasientas. Con infinita paciencia saco las larvas blancas de las heridas. Debe dolerles porque los hombres se muerden los labios y respiran agitados, pero nos dejan curarlos sin quejidos.

Un ruido de pasos exteriores nos agita. Mi sueño... El sueño puñetero de las piedras alargadas... Nadie habla. Nadie permite el ruido del aire pasando por los pulmones. Un terror de fauces abiertas nos hermana como una sola sombra. No hay hambre ni dolor en ese instante. Sólo el afán de que no sean los falangistas. Alguien aprieta mi mano. La vela es apagada con saliva.

El ruido es de animales y pisadas de gente del campo. Son las pocas cabras que quedaron y algunos perros. Al primer ladrido, veo lágrimas en los ojos de uno de los hombres. Me acerco, pongo mis manos sobre su brazo. "Es por Lorca" —me dice limpiándose las lágrimas—. Yo lo miro con absoluto asombro. Las piedras, el pan yendo lejos de mis manos se hacen presentes. "Lo fusilaron —me dice en un desgarro—. Lo fusilaron como a un perro. Dile a tu marido que fue en Viznar. Lo ejecutaron antes del amanecer. Tal vez tuvo el consuelo de la luna de Andalucía. Tal vez le taparon los ojos para que no la viera. Tanta desgraciada suerte caerá como puñales sobre España. Díselo a Andrés. No lo olvides". Tiene ojos de niño desolado. Muy joven para esta maldita guerra. Después los otros agregan comentarios. Que fueron varios; que el cabo Mariano Ajenjo dio la orden. Veo de nuevo las piedras puestas en fila y siento alivio; un egoísta alivio porque lo que vi en el sueño no estaba relacionado con mi marido.

Para cuando regreso a mi casa y logro asomarme al pozo donde se esconde Andrés, no soy capaz de darle la noticia del asesinato de Lorca. Le dibujo una luna entera, gorda y blanca, y coloco al final "alguien llenó de sangre la luna". Unos meses después, entre las sábanas de mi cama, teniéndolo por unas horas a mi lado, comienzo a decirle de mi embarazo y de por qué estaba la luna enlutada en España. (**M. V.**)

* * *

Hoy, víspera de Navidad de 1948, se cumplen doce años de estar viviendo en este hueco. Han sido doce años terribles, siempre con el temor de caer preso y ser torturado. Días y noches de oscuridad y frío, de intranquilidad e impotencia, de encierro y desfallecimiento; algunas noches peor que otras, pero ninguna como ésta que es la más insoportable de todas. Hoy, víspera de la Navidad que presiento será la más triste de mi vida, descubro que el peso de la soledad me ha dejado exhausto. Me hacen falta las caricias y los besos de Inés, y la risa y los abrazos de mis pequeños hijos. En este espantoso lugar, el aire huele a tierra de sepulcro y a esperanzas desahuciadas. Me imagino que así debe ser el olor de la muerte y la fetidez de la conciencia del dictador, aunque su lecho esté cubierto con pétalos de rosa y con jaculatorias.

Ahora son las cinco de la mañana, y el día empieza a amanecer con la dolorosa sinuosidad de un viejo reptil que se arrastra en la nieve.

El frío aumenta cada vez más, y se mete en mis piernas, en mis brazos, en todos mis huesos…, y lo peor, también se mete en mi alma. Hoy me siento más afligido que nunca porque hace dieciocho meses, Inés tuvo que viajar a su pueblo para evitar sospechas y murmuraciones. Fue muy duro para mí y para ella. Todos la creían viuda desde que me escondí, y de pronto apareció con barriga de embarazada. Por eso convinimos que se fuera con nuestros tres niños a casa de una tía, y allá nació Juliana. La bautizamos con ese nombre porque nació en el mes de julio. Ahora tiene un año de edad y afortunadamente está creciendo sana, lejos de las miradas de los guardias y de los soplones franquistas que son un verdadero peligro. Lo absurdo en esta época de represión, violencia y persecución sin límites, es que muchos niños están naciendo en la clandestinidad por el simple hecho de que sus padres no estamos de acuerdo con el tirano que administra nuestro país como si fuera una hacienda de él y de sus compinches fascistas-nazistas, igual a como está ocurriendo en Alemania e Italia, donde gobiernan los otros dos genocidas que integran el "trío de la infamia": Hitler y Mussolini.

De mis compañeros de refugio no he vuelto a tener noticias desde la noche que huyeron disfrazados de campesinas, uno para el suroeste y otro para el norte. Lo último que supe de Adrián fue que se escondió en Cáceres, en donde su mujer tiene familia. De Esteban, sé que antes de llegar a Ponferrada, en El Bierzo, fue apresado por los esbirros del régimen y sometido a torturas de extrema crueldad; dicen que le cortaron los dedos de la mano izquierda, uno a uno, para sacarle confesión. Por fortuna, y a pesar de estar herido, aprovechó un descuido de los carceleros, logró fugarse y se puso en contacto con la gente de la Federación de Guerrillas de León y Galicia, que lo acogieron con amistad y lo curaron. Yo, en cambio, opté por quedarme aquí porque sé que éste es un buen escondite, y porque no quiero alejarme de los trabajadores de esta tierra a quienes seguiré ayudando cuando termine este régimen de terror. Sé que estamos construyendo historia, y sé también que el día que muera el dictador, yo podré rehacer mi vida y por fin disfrutaré de mi casa y del amor de mi mujer y de mis hijos, como cualquier persona normal y no como un topo, que es en lo que estoy convertido, viviendo en esta madriguera inmunda.

Pero si las cosas salen mal, y soy apresado y conducido a uno de los campos de concentración y tortura; yo, Andrés Manuel Eulogio —hijo de labriegos, periodista empírico y líder sindical—, manifiesto y solicito que, en caso de que yo muera, los bienes que tengo sean heredados por mis cuatro hijos, incluida la menor de nombre Juliana, que es mi preferida por ser la más pequeña, advirtiendo que del monto completo, se debe descontar una décima parte para destinarla a la publicación de mis Memorias, que tendrán como principal propósito el de que ningún español olvide el genocidio que se está cometiendo en nuestro país, y para que nuestros hijos, nuestros nietos y los hijos de nuestros bisnietos, jamás vuelvan a permitir que se repita esta historia violenta, llena de injusticias, fanatismos fratricidas y sanguinario abuso del poder. (**J. R. R.**)

Amanece en mi sueño, luego del peor día de mi encierro interminable. Pero la luz no me alcanza en esta cueva de los sufrimientos; quizá toque más tarde la tierra baldía que ahora se extiende ante mis ojos. No siento ningún dolor, ni siquiera hambre. Por el contrario, estoy fuerte como en los años anteriores a la guerra del fin del mundo para los republicanos. Antes del alba la oscuridad es total, pero camino lento, apoyado en un bastón que me guía como si fueran mis propios ojos viejos. Respiro fuerte, y todo el aire de España entra libre a mis pulmones. Al dar estos primeros pasos fuera del escondite, tengo la certeza de recuperar mi plena libertad. He dejado por voluntad propia de sentir miedo. Los seis cuadernos que contienen mis Memorias, así como la mejor suerte de mis amados hijos están en manos de Inés, mi adorada Inés.

Comienza ahora a iluminarse el horizonte como si se espolvoreara de claridades solares. Soy otro hombre, diferente en el pensar, sentir y actuar. Atravieso una población todavía adormilada; perros famélicos me miran con ojos vidriosos, ebrios de cansancio y oscuridad. Las puertas de las casas están cerradas o claveteadas. Tal vez ya nadie habita allí; sólo un leve viento rumorea voces de ánimas olvidadas de todo rezo. Mi bordón me guía por caminos más habitados: guardias civiles van y vienen por parejas pero no me divisan, o mejor, no desean verme ni mucho menos nombrarme. Son los vencedores de ayer y hoy, pero no lo serán en la paz del futuro. Si adivinaran mis designios, me detendrían y fusilarían de inmediato. Pero, sólo yo sé hacia dónde me encamino sin prisa.

La decisión, que tomé esta misma madrugada en duermevela —dejar de estar encerrado—, me ha transformado para siempre. Yo no sabría decir en qué nuevo ser me he convertido: ya no intereso a quienes a mi paso detentan su omnímodo poder en toda nuestra sangrienta y amedrentada geografía. O bien, conocen mis planes y desean que por mi mano todo esto se termine de una vez, y el nombre de Franco sea borrado del futuro próximo. A la luz de este lento amanecer, soy quizás un ser de sombras, una sombra pensante, decidida; un narrador de cenizas al viento, polvo de memorias. Pero, frente al dictador en persona, devendré en revelación, purísima epifanía. Caminando, de la oscuridad estremecida a la luz para todos, presiento que él y los suyos ya lo saben. Su corazón, al mirarme a los ojos, se detendrá con un disparo. Entonces, él y yo seremos historia, y el legado para mis hijos, para Inés y para el pueblo será la paz y la libertad, como está escrito en mi diario con letras de vida y memoria. (**c. v. z.**)

* * *

¿Por qué, padre, por qué tenía que ser yo, tu hija Juliana, quien continuara tu diario? ¿Qué augurios dispusieron que fuera hoy, precisamente hoy, cuando me decidiera a seguir tu encargo?

"20 de noviembre de 1975. "Españoles… Franco ha muerto".

Nunca sentí un vacío semejante en el estómago. Jamás me asaltó un espanto como el que se ha apoderado de mí cuando he oído al Presidente del Gobierno, Arias Navarro, dar la noticia. Hubiera podido ser cualquier día. Tendría que haber sido cualquier día menos éste con el que se cumple su última profecía por llamarlo de alguna manera. Llevo años preguntándole inútilmente el significado de esa suma que padre incluyó en su diario la última vez que escribió en él, antes de cerrarlo con un sorprendente cálculo seguido de esa extraña frase:

> *"Ése será el día: 20-11-75*
>
> *Se inició el "Movimiento Nacional"* *18-07-36*
>
> *Se dio definitivamente el "parte de Paz".* *02-04-39*
>
> *¡Súmalos!* *20-11-75*

Luego, Juliana, hija queridísima, sigue escribiendo por mí este diario que abandono como abandono mis proyectos. Nunca hay una razón que justifique matar. ¡Ni a los que nos matan! Que sea la vida quien se tome la pena de matar al dictador. ¡Bastante pena tiene con tener que vivir con sus recuerdos y con todos los fantasmas nocturnos que vengan a darle el parte y la novedad…!"

Ese silencio en padre se hizo definitivo: dejó de escribir y escondió su voz para siempre. Nos lo devolvieron hecho un vegetal, con la mirada perdida, las piernas inservibles, e incapaz de controlarse para hacer sus necesidades más elementales, lo que dice por sí mismo de la crueldad de los interrogatorios a que debieron someterlo aquellos largos meses de presidio, hasta que perdió toda capacidad para suministrarles a sus verdugos cualquier tipo de información, y debieron cavilar que soltándolo se quitaban de encima una boca que alimentar. Yo era demasiado pequeña por entonces para entender por qué madre se pasaba las noches enteras hablándole, como si pudiera oírla, con ese amor infinito que sigue vivo.

Con el tiempo, yo misma tuve la impresión de que él podía entenderme lo que le cuchicheaba, y hasta parecía querer contestarme con los ojos. Era como si desde el fondo de ellos emergiera una luz radiante capaz de incendiar su entorno por unos segundos, para luego apagarse dejando el espacio que lo rodea en una profundísima penumbra. Por eso, nada más oír la noticia, he tenido la necesidad de decírselo con la desesperada certeza de que sería capaz de recuperar su transitoria lucidez:

—¿Te has enterado, padre? —he tanteado señalándole la pantalla del televisor en la que parecían hurgar sus ojos; y esos ojos, cuando se han vuelto hacia mí, eran inteligentes, dulces y llenos de idéntica seguridad a la que manifiestan en el retrato de la boda colgado en la sala.

He tenido miedo de que se apagara aquella luz profunda como la que él describe en su diario cuando habla de sus días en el pozo. Pero la luz ha seguido encendida, como si esperara la siguiente pregunta:

—Padre: ¿sabías que morirías precisamente en esa fecha?

—Escrito está —ha respondido con una voz tan diáfana que a punto estuve de llorar, antes de oírle lo último que ha dicho:

—Te lo repito hija: ahora te toca escribir a ti, que fuiste hecha con todo el amor del mundo en la más horrible oscuridad.

De repente, los ojos del viejo Andrés se encogen fuertemente, como si quisieran enfocar algún rincón de la pantalla del televisor, y un gemido escapa de su garganta. Allí, en la fila en la que el gentío espera para dar el último adiós al tirano, puede distinguirse a alguien tan parecido a madre que sólo puede ser ella. Ella, con sus penoso andar de casi ochenta años. Ella, con esa mantilla de medio luto que lleva desde que nuestra vida se hundió en el silencio. ¡Ella! (**s. m. b.**)

—¡Inés! —grita él, haciendo esfuerzos con la voz quebrada.

—¡Inés, Ineeeeeés! ¡No, no, nooo, no puedes hacerme esto! —se lamenta, mientras lágrimas de impotencia le ruedan por la cara.

En el televisor en blanco y negro, las masas se agolpan, imágenes lúgubres, broche final de una España negra. Se agolpan a fin de alcanzar la fila y despedir al dictador: ¿curiosidad…? ¿lavado de cerebros…? ¿miedo…? ¿estar seguros de que aquello era cierto…?

—No, no puede ser ella, pero…, mírala, es igualita a mi Inés.

El impacto de que sea su mujer la que se ve en la pantalla, escondiendo su rostro tras la mantilla negra, le ha hecho gritar con la energía de sus mejores años; ha roto el silencio de su depresión y ha dado paso a la ira.

—Traiga para acá madre, yo llevo la leche a padre —dice Juliana.

—Pero… padre, si está usted llorando y dando gritos, ¿qué le pasa?

—Tu…, tu madre…, está ahí, ahí… ¿cómo puede estar ahí tu madre? ¿también ella me ha traicionado?

—Pero, ¿qué está diciendo padre? ¿dónde está, dónde? —pregunta Juliana, mientras deja la taza sobre el mantel de la mesa camilla.

Andrés señala con su mano izquierda el televisor y dice con voz ahogada: "Tu madre… está ahí, ahí…"

—¿Qué le pasa a usted, padre? No diga bobadas. Usted está delirando. Madre está en la cocina.

El viejo Andrés no oyó a Juliana. La voz dejó de salirle. Respiraba rápido y ruidoso. Tomó aire y dijo a trompicones:

—¡Ahí está, Juliana, ahí!

Andrés trataba de seguir hablando, pero no era capaz ya. Sus gestos se convertían en la única y dificultosa forma de comunicar su espanto, hasta que llevó la mano a su pecho, se apretó con la fuerza que aún le quedaba, y los ojos se le volvieron en blanco.

—¡Madre, madre, corra! ¡Padre está mal, se nos va, corra madre!

—¡Juliana, hija! ¿Qué pasa…? ¡Andrés!

Andrés entreabrió los ojos para mirar a su mujer, pero era al vacío donde se le fue su mirada. Intentó levantar la mano, pero sólo dos de sus dedos le obedecieron un poquito. Inés se abalanzó a abrazarlo, pero su cuerpo había dejado de latir.

—Andrés, mi Andrés… Pero… ¿tenía que ser hoy? ¿el mismo día que él precisamente…?

¡Hasta después de muerto nos ha de seguir matando este tirano! ¡Puta guerra, puto Franco! (**A. F.**)

6

PARICUTÍN

*Relato que se desarrolla en México, con inicio y
desenlace escritos por Laura Hernández Muñoz.*

María dejó de regar las macetas y prestó oído y nariz al mensaje que le traía el viento, porque éste fue el primero que se enteró de la llegada de Santiago Mejía, hombre alto, de espaldas anchas, nariz halconada y boca de permanente sonrisa. El olor a cuero andado de su chamarra se filtró por los canceles de la puerta de María Sereno, mujer de rostro pálido y terroso como las paredes de su casa.

La hora nona se quedó quieta y retuvo el aliento para ser testigo de su encuentro. Él jaló el cordón de la campanilla, y ella tensó el cuerpo al escucharla. Oculta en la penumbra del zaguán, una presencia la regresaba al momento en que explotó el volcán Paricutín. Fue una tarde como esa, en que todo parecía sostenido por la tela invisible del aire anunciando la llegada de la destrucción. Ahora, ahí estaba un hombre que la llamaba y le pedía que le permitiera entrar. Con ojos de golondrina asustada, lo midió antes de hacer girar la llave por la cerradura. La puerta se quejó doliéndole sus goznes. Él la ayudó a abrir dando un empujón con firmeza. Los dos quedaron frente a frente. El viento unió sus aromas.

Santiago le entregó una carta escrita por el señor cura. María la leyó, pareciéndole una barbaridad lo que éste le pedía: recibir a un hombre en su casa. Los prejuicios abordaron sus oídos: "Soy una mujer soltera, madura, y virgen —pensó preocupada—. Siempre me he cuidado de no dar de que hablar en el pueblo. ¿Por qué el cura me pide esto?" La carta decía que el portador era un artista español contratado para restaurar las pinturas de la iglesia, y que era de suma importancia su comodidad, por eso había elegido su casa, la mejor del pueblo, además sabía de sus virtudes y buenas costumbres. También decía que de las malas lenguas, no debía preocuparse pues no estaba sola, porque él sabía que contaba con servidumbre que la cuidaba. El mensaje seguía dando varias explicaciones, y le pedía que no fuera a rechazarlo. Indicaba que era un hombre joven y buen cristiano, y que estaba muy bien recomendado por el Obispo de Valencia.

Al mirar la duda en los ojos de María, Santiago franqueó la entrada y con voz suave le habló sobre las dificultades del viaje desde el puerto de Veracruz hasta Uruapan; añadió que entendía su desconfianza, pero que él no le ocasionaría ningún problema, solamente deseaba un lugar para dormir. Ella sintió la voz como el fresco que anuncia a la esperada tormenta que hará germinar la tierra. Se hizo a un lado y lo dejó pasar; después de que terminó de hablar Santiago, cerró el cancel y le pidió que la siguiera.

La casa construida a principios de siglo por su padre, don Pedro Sereno, un próspero comerciante que tenía arreos de mulas para llevar mercancía hasta el sur del país, estaba formada por un gran patio central repleto de macetas con gardenias, malvas, azaleas, y geranios. La pileta de cantera, al centro, guardaba la lluvia que constantemente caía; alrededor de éste había un pasillo que daba entrada a todas las recámaras cuyas puertas parecían bocas abiertas al hermoso jardín. Él la siguió a distancia, para no asustarla; ella, de tramo en tramo, giraba la cabeza para ver si venía detrás. Sin decir palabra se detuvo ante una puerta con cristales encortinados, la abrió y una habitación amplia con olor a naftalina le dio la bienvenida. Ante los ojos de Santiago surgió una cama grande cubierta por una colcha tejida con ganchillo y dos almohadones esponjados ribeteados por tiras bordadas. Sobre el buró de madera había una lámpara de petróleo y una *Imitación de Cristo*; del otro lado, el aguamanil y la jofaina con una toalla blanca con iniciales

P. S. "Ésta era la habitación de mi padre; desde su muerte, ningún hombre ha entrado aquí" —dijo María y salió del cuarto dejándolo solo. (**L. H. M.**)

En algún momento el sueño la había ganado; María se enrolló en las sábanas como un caracol y con las primeras luces del alba, entre el bullicio de pájaros y algunos animales domésticos, llegó a sus oídos el trajinar del hombre. Supo que era él por un arrastrar errático de pies. Adivinaba el rostro fresco en medio de su patio, entre las macetas cuajadas de flores; también podía saber que las sirvientas de la cocina se esmerarían más de la cuenta en atender al extranjero y que para ese mediodía todo el mercado se iba a inundar de aviesas murmuraciones. Un escalofrío la recorrió cuando sus ojos observaron la camisa blanca, suelta sobre el cuerpo firme de Santiago. Ella lo espiaba por la ventana de su dormitorio con la tonta idea de que las sombras la protegían. Él se dio vuelta, repentinamente. Debía enfrentarlo para mitigar los chismes, aquellos que ya estarían circulando y aquellos por venir. María salió de la habitación dando un portazo. Santiago levantó los ojos y la saludó tranquilo. A ella le crecía una rabia sorda, sin motivo aparente. Apenas contestó su saludo, pero tuvo que sentarse en la mesa que la cocinera había dispuesto en el patio para servir el desayuno. Estaba cubierta con un mantel de puntillas almidonadas que crujían de solo mirarlas. Esto era una usurpación a la rutina de la casa, y era sólo el principio de los cambios que ella pensaba le traería la presencia de Santiago. Descargó sobre él miradas fulminantes, observó sus manos grandes y recordó las de su padre; las manos tocando sus hombros, su espalda, y ya no pudo hablar ni tomar el té, ni volver de ese recuerdo oscuro.

Santiago la miraba curioso como intentando adivinar sus pensamientos. A ella le subían emociones contradictorias, cerradas bajo el yugo del silencio, ocultas en el repliegue de los paredones de la casa. "¿Qué siento por él?" —se preguntó con sobresalto, y en el completo asombro de la pregunta, enredó sus dedos en la taza que cayó al suelo—. "¿Qué me pasa frente a este hombre que apenas conozco…?" —y el río áspero de las emociones se le metió en la sangre que fluía a borbotones.

—No se preocupe —dijo él, juntando los pedazos de loza esparcidos en el adoquinado del patio—, es sólo una taza. Y le sonrió abarcando todo el rostro. (**M. V.**)

—¿Entonces… ha venido usted a restaurar las pinturas de la iglesia de San Francisco? —preguntó María, mirando fijamente a Santiago con sus grandes ojos negros.

—Sí, ése es el encargo que me han hecho el padre Juvenal y el señor obispo.

—Y… ¿en cuánto tiempo realizará ese trabajo?

—Me han pedido que lo cumpla en nueve meses.

—¿Nueve meses? —preguntó con un gesto que Santiago interpretó como de contrariedad—. ¿Y no puede hacer ese trabajo en menos tiempo?

—La verdad… no lo sé. Tengo que revisar todas las pinturas dañadas por la erupción del Paricutín, y sólo después de evaluar el estado en que se encuentran, podré contestarle esa pregunta; pero… ¿acaso usted quiere que me vaya pronto?

María sintió que se le encendían las mejillas con un rubor secreto y le dio rabia no saber, exactamente, cuál era la causa. La presencia de ese hombre de expresión tranquila y mirada risueña la incomodaba y, al mismo tiempo, la atraía con un raro magnetismo.

—Si quiere ir a la iglesia para ver las pinturas —dijo María—, puedo pedirle a uno de mis empleados que lo acompañe.

—No se preocupe. Ayer le dije a usted que procuraré no causarle molestias y así será, pero ya que lo menciona… quiero decirle que me agradaría que fuera usted quien me acompañara a la iglesia.

—¡Cómo se le ocurre! —dijo entre irritada y confusa, y se levantó de la mesa sintiendo que su corazón, sensible a los presentimientos y a las premoniciones, latía aceleradamente como si intuyera que una experiencia extraña iba a ocurrir muy pronto en su vida—. Se dirigió al lugar del patio en donde estaba la pileta de piedra y, para serenarse, rezó una Avemaría y se puso a observar las flores del jardín. "¿Ir los dos...? ¿quizá tomados de la mano...?" —pensó emocionada, pero dijo otra cosa—: "¿Usted no se da cuenta que si yo lo acompaño, la gente empezaría a murmurar y a inventar enredos? Debe saber que en Uruapan, como en todo pueblo pequeño, los chismes son el alimento diario".

—Pero... ¿por qué se vería mal que usted me acompañara? Soy su huésped y he llegado a esta casa por recomendación del señor cura y del obispo, de quienes sus padres fueron buenos amigos.

—Parece que aún no entiende las costumbres de aquí —dijo ella en tono enfático, y agregó—: Pensándolo bien y para evitar problemas, creo que usted debe alojarse en otra casa porque su presencia en la mía va a alimentar rumores que dañarán mi reputación. Así es que... tendré que platicar con el padre Juvenal para que le busque otro alojamiento. Discúlpeme que le hable en esta forma franca y desnuda, pero definitivamente su permanencia aquí pone en riesgo mi buen nombre. Espero que usted comprenda mi preocupación.

Cuando Santiago salió, en compañía de uno de los empleados de María Sereno, para ir a la iglesia de San Francisco, ella se quedó en silencio, embelesada con el agradable contacto que acababa de tener con la piel del pintor que se despidió dándole la mano. El roce con la epidermis de ese hombre que apenas empezaba a conocer la dejó meditando si sería una descortesía, con el párroco y el obispo, negarle el alojamiento al atractivo huésped. "Tendré que pensarlo con mucho cuidado antes de hablarle al padre Juvenal" —caviló preocupada e indecisa, y volvió a sentir un rubor en las mejillas, y un calorcillo placentero ascendió por las piernas hasta el bajo vientre, mientras intentaba serenarse rezando otra Avemaría—. "Tomaré un baño para ver si puedo controlar esta turbación que me sofoca" —dijo para sí—, y subió a la alcoba; pero cuando entró a ella, no fue a la ducha sino a la cama y nuevamente pensó en el agradable roce de las manos del pintor, y fue entonces cuando su cuerpo empezó a estremecerse. (**J. R. R.**)

Santiago, con disciplina diaria, rigor minucioso y alegría manifiesta, comenzó su trabajo de restauración de las telas de la más antigua iglesia de Uruapan. El sacerdote lo visitaba en diferentes momentos del día para medir con ojos interrogadores los progresos del artista español.

—Es una labor de tiempo y paciencia, padre.

—Y un mucho de conocimiento de las artes —dijo éste con una sonrisa de humildad obligada.

Tres semanas más tarde, Santiago sorprendió al cura, afirmándole:

—Padre Juvenal, no tengo suficiente luz para trabajar. Tengo que hacerlo en un espacio más iluminado.

María había intuido lo que podría acontecer con el trabajo de Santiago: la piadosa penumbra del templo dificultaría la restauración. Algo en su interior tembló como la luz palpitante de sirios votivos cuando el cura le comentó la petición del pintor. Más tarde, su mirada devino tensa al conversar con Santiago, mientras experimentaba que algo en su interior se suavizaba al escuchar su voz. Se sentía atraída de nuevo por esas manos grandes que le recordaban las de su padre.

—Está bien… disponga del espacio que necesite en un rincón del patio, pero sin desordenarlo —dijo María—. Las gardenias, las malvas y las azaleas se incendian de luz en las mañanas. Le servirán de inspiración.

Ahora podría observarlo cuando quisiera —pensó con agrado—, y también detenerse en esas manos seductoras pincelando líneas y trazos de color sobre rostros, cuerpos y paisajes de las vetustas pinturas de la iglesia.

Las figuras renacían, con nueva luz y matices, del desgaste de los años y de la acción destructiva de las cenizas del Paricutín. Santiago trabajaba en su lenta monotonía como un monje —pensaba ella—, sin descanso ni desorden, y con respeto por los habitantes de la casa.

En las mañanas, María y Santiago se encontraban para compartir el desayuno. El sol parecía comerse desde esas tempranas horas la pulpa de las naranjas que tanto le gustaban a él. Ella se sentaba a la mesa con vestidos de algodón bordados y deshilados a mano; y con el transcurrir del tiempo, comenzó a sentir que su piel rejuvenecía a la par que las pinturas de la iglesia.

—Está usted hermosa este día —se atrevió a pronunciar Santiago una resplandeciente mañana.

El rostro de María, se sonrojó.

—¿Me permitiría pintarla? Será mi mejor recuerdo al regresar a España en tres meses.

Ella, temerosa pero ahora sonriente, intentó argumentarle la falta de tiempo, la urgencia de terminar su trabajo de restauración: "Lo haré en mis ratos libres" —alegó Santiago—. "En nuestros fines de semana".

Ese "nuestros", inesperado y atrevido, produjo un sacudimiento en María; un deslizarse hacia mundos misteriosos e inquietantes como el estallido, esta vez sordo, del volcán de su memoria.

—Está bien… Pínteme usted pero rodeada de figuras santas.

Él sonrió condescendiente. Sabía que todo el pueblo de Uruapan estaba atento a lo que sucedía en la casa de María Sereno. Pintada entre figuras del *Nuevo Testamento*, no habría nada que temer; los posibles rumores se acallarían.

Desde ese momento, los ojos de Santiago se dirigieron libres a todo el cuerpo de ella. En sus manos estaban su sonrisa, su cabello, la tersura de su piel… Buscaría plasmarla ocultándola de sus estremecimientos silenciosos. (**C. V. Z.**)

—¡Manuela! Llámale la atención a tu hija. Esta mañana ha descuidado las tareas de la plancha y el riego de las macetas. Ya sabes que mañana vienen los parientes de Pátzcuaro a pasar unos días y quiero tener la casa bien dispuesta. ¿Puedes decirme dónde está? ¿Duerme todavía? Está haciendo mucho el holgazán y ya va teniendo edad para que siente cabeza.

—Sí, señorita María. Ya le hablaré a Guadalupe. Pero discúlpela porque es muy joven. Hágalo por mí, que llevo toda la vida cuidando de usted, como cuidé de sus padres hasta que Dios se los llevó. —¡Dios los tenga en su gloria! —. Discúlpela, que aquí mismito la parí y usted la ha visto crecer hasta convertirse en la mujer de ahora, con ese cuerpo que da gusto verla. ¡Qué pronto se hizo mayor! Parece que fue ayer cuando solo era una niña jugando por entre las macetas de este patio. Pero descuide, señorita María, que hoy mismo le digo cuatro cosas y ya verá como no vuelve a holgazanear. Guarde cuidado.

—Está bien, Manuela, está bien.

María echó una mirada a la esquina del patio en la que Santiago restauraba los cuadros de la iglesia. Se le veía concentrado en arreglar la cara de una virgen que el tiempo y las cenizas del Paricutín habían ajado. Ella siempre recordaba ese cuadro en un pequeño altar a la izquierda del púlpito. Cuántas veces se distrajo durante las misas por mirar el rostro de esa virgen. Y ahora… él estaba consiguiendo rejuvenecerla, renovar esa cara con el arte de sus pinceles. "¿Cómo me pintará a mí" —pensó, y suspiró sólo de pensarlo—. "Yo, posando para él como una famosa modelo".

Sintió escalofríos y se sentó en una banca al lado de la pileta del patio, entre las gardenias y las azaleas. El sol iluminaba cada pétalo. Apoyó la barbilla entre sus manos y dejó que la mirada se le fuera hacia el vacío para solo ver sus pensamientos: "¡Qué esbelto y fuerte es este hombre! Nunca me ha dicho cuántos años tiene, pero yo le calculo unos… 42. Claro que me ha contado bien poco sobre él; sólo me habla del color de los naranjos de su tierra, allá en España. ¿Y si está casado y una mujer le espera allá? No… ¡Me lo hubiera dicho! ¿Y si, además, tuviera hijos? No, no, tendría que haber salido el tema en alguna de nuestras conversaciones. Pero… qué raro que a un hombre tan apuesto no le espere una mujer en alguna parte".

Transcurrió el día, llegó la noche y amaneció de nuevo. María se levantó, abrió la ventana del dormitorio y miró al cielo que amenazaba lluvia. Se aseó y se dispuso a bajar al primer piso para llegar a la cocina donde Manuela ya tendría el café caliente. Un crujir de puerta abriéndose muy lento en la parte de abajo de la casa le hizo volver la cabeza. Interrumpió el paso y desanduvo los únicos dos escalones que había bajado ya. El sonido dejó de oírse por un momento para nuevamente volver a sentirse lento, muy lento. María se parapetó en la pared que daba paso a la escalera para ver si podía observar sin ser vista. Miró hacia abajo, era la puerta de la habitación de Santiago. De repente, un pelo negro, largo y sedoso se dejó ver entre la abertura, luego unos pies descalzos se deslizaron hacia afuera. Era Guadalupe, la bella hija de Manuela, y ¿qué hacía saliendo de madrugada de la habitación del pintor? A María le dieron ganas de gritar, pero se llevó la mano a la boca para tapar el hueco abierto en sus labios. (A. F.)

Desde que la encontraron desfallecida en el rellano del piso superior, hasta que recuperó el conocimiento, pasaron dos largas horas en las que la desolación se instaló en la casa. Fue Santiago, alertado quizá por el ruido del cuerpo al desplomarse contra el suelo, quien dio la voz de alarma que arrancó a Manuela de sus ajetreos matutinos en la cocina, y a su hija de la alcoba en la que se cambiaba las ropas. Guadalupe no comprendía qué sentido encerraba el tener que posar para el pintor a aquellas horas de la madrugada, que la obligaban a saltar de su cama antes de que abriera el día; pero él siempre le contestaba lo mismo: "Es esta luz la que necesito para conseguir en tu perfil el *esfumatto* al estilo de Da Vinci. ¿Sabes tú, Guadalupe, quién era Da Vinci?"

Cuando María abrió los ojos finalmente, la penumbra reinaba en su amplio dormitorio, y su primera sensación casi la devuelve al mundo de lo inconsciente: la mano de Santiago, aún manchada de pintura, sostenía la suya como si tratara de traspasarle a través de la piel el aliento que le faltaba dentro de sí misma. Aprovechó aquella penumbra para tomar conciencia de dónde se encontraba. Sobre un velador auxiliar, un vaso con restos de una sustancia le indicó que le habían suministrado algún medicamento cuyo sabor aún amargaba su paladar. Al fondo, Manuela desgranaba en silencio lo que a María le parecieron jaculatorias; pero lo único que existía en ese momento para la debilitada mujer era aquella mano masculina, inmensa y sanadora de Santiago, y el recuerdo del volcán Paricutín abrasando sus entrañas bajo las sábanas.

¿Acaso —se preguntó sin abrir los labios anhelantes— aquello era lo que siempre había deseado? (**s. m. b.**)

Santiago regresó a trabajar a la iglesia porque debía restaurar los frescos que representaban a los cuatro evangelistas en los ábsides. Era un trabajo delicado y lento. El silencio del corazón de María enmudeció a los pájaros. Sólo un canturreo, casi susurro, se escuchaba en la zona de los lavaderos; era Guadalupe jugando con las pompas de jabón que se desprendían de la ropa que lavaba. Su cabello negro caía sobre sus pechos crecidos. María percibió un abultamiento en el vientre de la muchacha. Un pequeño ropón blanco flotaba en la tina. "¿Un hijo de él…? ¡Ella tendrá un hijo de Santiago!". Cegada por los celos se abalanzó sobre la muchacha y la arrojó contra el piso. A los gritos de las dos mujeres llegaron los sirvientes, entre ellos Manuela, que al ver a su hija en el piso corrió a ayudarla. Los ojos de María despedían un odio intenso. Con la voz entrecortada gritó: "¡Llévate a ésa mal nacida que ha deshonrado mi casa. Si la vuelvo a ver aquí, la mato!

Todos miraban sorprendidos a la patrona; parecía demente. Manuela levantó a su hija y se la llevó a la habitación; preparó las maletas y salieron de la casa.

La ausencia de Manuela y Guadalupe fueron notadas de inmediato por Santiago, pero no dijo nada; por boca de uno de los sirvientes supo sobre la reacción encolerizada de María Sereno en los lavaderos. Desde ése día, buscaba la manera de terminar el trabajo e irse de Uruapan. No se sentía seguro en esa casa. Por las noches oía pasos y percibía una sombra cerca de su cama, o tras los visillos de la ventana cuando se bañaba, y lo más preocupante: la comida le sabía extraña, con un toque áspero y amargo.

Santiago preparó su partida con el mayor de los sigilos para el viernes de Dolores; le dijo a Guadalupe que lo esperara a la entrada de La Quinta para huir en coche a Zamora. Fue sacando sus pertenencias y guardándolas en un lugar que el sacristán le proporcionó. Mientras tanto, María hizo construir, en su recámara, un nicho de tamaño natural para la imagen de la virgen de la Asunción que encargó en la ciudad de México.

Cuentan las malas lenguas que el pintor español escapó de noche, el día jueves, y que se marchó solo, y en silencio, dejando preñada a Guadalupe y provocando la locura de María. Comentan que desde su partida, ella no sale a ningún lugar y se la pasa susurrando su nombre y hablando, día y noche, al nicho de la Virgen y a las paredes de la casa. (**L. H. M.**)

～Segunda Parte～

Cuentos iniciados según orden alfabético del apellido de los autores:

Ángeles Fernangómez. (**A. F.**) *España*
Laura Hernández Muñoz. (**L. H. M.**) *México*
Socorro Mármol Brís. (**S. M. B.**) *España*
Juan Revelo Revelo. (**J. R. R.**) *Colombia*
Carlos Vásquez-Zawadzki. (**C. V. Z.**) *Colombia*
María Vilalta. (**M. V.**) *Argentina*

7

Cuatro estaciones

Relato con inicio y desenlace escritos por Ángeles Fernangómez.

Vivimos cuatro estaciones bajo el mismo techo. Fue verlo y quedarme hipnotizada por sus ojos tostados de mirada limpia, aquellos rizos rubios que le caían ligeramente sobre la frente, su talle esbelto, su… Era guapísimo; pero fue su mirada la que me lo dijo todo.

La historia transcurrió en Madrid, pero podría haber sido en cualquier ciudad del mundo, porque yo cerré mis sentidos al exterior para sentirlo sólo a él. Ya estaba en sus brazos, era suya. El viaje de la vida nos unió. Sólo cuatro estaciones duró el embrujo, pero en mí sucedió todo lo que puede suceder en dos vidas fusionadas: cuatro estaciones en que viví con él y sentí las estrellas revoloteando por mi estómago. Fui yo quien se entregó en el tránsito al levitar del ensueño enloquecido. Yo fui quien lo llevó al tálamo y lo convertí en mío; yo quien se acercó al aura de su piel y lo trasladó a las avenidas; yo quien calentó su invierno, brotó su primavera y refrescó el estío que ambos compartimos. Pero fue él quien, como otoño, se desprendió del árbol sin decir por qué. Me dejó sin un adiós siquiera. Simplemente se fue y nada tuvo ya sentido. Lo extraño tanto… Durante esas cuatro estaciones sucedieron muchas cosas. Dicen que siempre tuve la imaginación a flor de piel, pero en esta ocasión yo sé que él me amó y yo lo amé. Lo sé porque aún recuerdo todo lo vivido, como lo de aquel día en que… (**A. F.**)

… me llevó a caminar por el Palacio de Oriente y el Campo del Moro, donde una luna grande espió los besos que nos dimos.

Nunca intentó deshacer el tiempo enredado en su memoria; temía romperlo al recordar la realidad de nuestras vidas y también temía que la magia del encuentro terminara. En silencio, acompañados por el crujir de las finas piedras bajo nuestros pies, recorrimos el parque. Él me asió con fuerza la cintura, acercándome a su cuerpo. Yo recosté mi cabeza sobre su hombro ajustando el ritmo de mi paso al suyo; después, nos sentamos en un banco frente al Palacio; tomó mi rostro entre sus manos y me acarició suavemente. A él le gustaba observar las líneas que nacen de mis ojos y, semejante a un gitano que leyera la palma de la mano, intentó adivinar lo que había yo vivido antes de conocernos. Después de un rato, en el que sólo se escuchaban nuestras respiraciones y el palpitar acelerado de mi corazón, besó mis párpados, y en sus labios sentí que el destino entraba de puntillas para secar las lágrimas que no lloré. Al despedirnos, él se fue por la carrera de San Jerónimo y yo me quedé en los jardines, sentada en el banco; fue entonces que, conversando con mi sombra, comencé a escribir nuestra historia. (**L. H. M.**)

¡Oh, Diosito! Acaso fuera mejor olvidar, no seguir inventando este delirio sin sentido. ¿Por qué sigo empeñada en confundir un viaje de apenas cuatro estaciones de Metro con cuatro ciclos de un tiempo inexistente salvo en mi pobre imaginación enferma de vacío? ¿O, acaso, lo nuestro fue algo más que una semana, un mes, casi un año…? ¿Qué sucedió realmente aquel día para permitir soltar las riendas de lo que había amordazado durante más de veinte años? ¿Fue el hambre de amor silenciada durante casi toda una vida, o realmente es posible que el amor pueda llegar como una riada, arrasando en un solo segundo? ¿Se puede amar hasta la locura, y poco después fingir indiferencia como si nada hubiera sucedido, permitiendo que la vida vuelva a paralizarse para siempre? Ahora, que lo único que queda es este silencio destemplado, ni siquiera espero encontrar una respuesta. Sólo sé que, cuando el tren se detuvo en la estación de "Sol" y él entró en el vagón, nada más cruzarse nuestras miradas, pensé que la primavera acababa de estallar debajo de la tierra. Sus ojos me lo dijeron todo, y mis brazos se aflojaron dejando caer la carpeta que apretaba contra mi pecho. Él, con una sonrisa que no dejaba espacio a la duda, se apresuró a recoger del suelo los folios desparramados y, mientras me los entregaba, su mano parecía retrasarse más de lo necesario rozando la mía, enardeciéndome hasta la pérdida del aliento.

A esas horas, la Línea Uno es bulliciosa y, en un último esfuerzo por huir de lo ineludible, aún quise pensar que fue el gentío lo que hizo que nuestros cuerpos se buscaran y se apretaran uno contra el otro hasta sentirnos latir al unísono, a través de nuestra liviana ropa veraniega, mientras se sucedían las estaciones: "Gran Vía", "Tribunal", "Bilbao"... Cuando el convoy atravesó, sin detenerse, esa misteriosa estación de "Chamberí", donde dicen que pasajeros fantasmas se persiguen buscando la salida desde que fuera cerrada hace tantísimos años en una sola noche, pensé que acababa de dejar atrás el frágil esqueleto de mi último verano, para adentrarme en la piel de un definitivo otoño. Había llegado a mi estación de destino: "Iglesia", y al separarme de su cuerpo para buscar la salida, sentí que algo se me desgarraba por dentro, y no pude soportar la idea de la inminente separación. Instintivamente, lo tomé de la mano sin que él ofreciera la más mínima resistencia y salimos juntos. En el ascensor del Metro nos apresuramos a besarnos con pasión, aún antes de saber nuestros nombres, y conocimos el sabor de nuestra saliva antes de conocer el tono de nuestras voces. Justamente, en el instante en que se abría la puerta de la cabina, dejando nuestro beso turbado y clandestino a la intemperie, supe que esa noche de verano iba a vivir por última vez una efímera pero ardiente primavera, cuya inevitable pérdida nunca iba a llorar porque, aun sin haberse separado nuestros labios todavía, comprendí que aquel torbellino de amor era el inopinado, bellísimo y último regalo de cumpleaños que me hacía la vida, cuando ya no esperaba sino bajarme en la estación final de mi inminente invierno. (**s. m. b.**)

Las cosas ocurrieron sin premeditación como si el destino se hubiese ocupado de ellas por completo. Los acontecimientos sucedieron tan rápido y fueron tan intensos, que a veces creo que todo fue un sueño. Ahora, en el oscuro mutismo de mi soledad, tendida sobre esta cama de sábanas que huelen a dolor y a ausencia, miro las paredes blancas de este lugar y las ventanas que, como espejos, me devuelven mi propia mirada, y me hacen recordar sus rizos rubios sobre la frente, la suavidad de sus manos, la calidez de su voz, y la tierna caricia de sus besos que nunca olvidaré.

Entonces me pongo triste y me pregunto: ¿Cuál fue mi error? ¿Cuál fue el motivo que lo indujo a separarse de mí sin despedirse? Posiblemente fue mi osadía, de la primera vez, cuando lo tomé de la mano para que se bajara conmigo en la estación "Iglesia" sin preguntarle a dónde iba él; o quizá, cuando lo besé fogosamente en el ascensor. ¿O tal vez… fue mi egoísmo al pensar más en mí y no en él cuando estuvimos juntos?

Lo único que sé es que todo fue fortuito y sorprendente, y que esta historia ocurrió en el transcurso de cuatro estaciones. Pero… ¿cuáles estaciones…? ¿Las estaciones de la Línea Uno del Metro de Madrid? ¿Las cuatro estaciones de los conciertos para violín y orquesta de Vivaldi? ¿Las estaciones del año…? o ¿las cuatro estaciones de la vida de los seres humanos desde la infancia hasta la vejez?

Estoy confundida… pero no me agobia no tener la respuesta en este momento. Lo que en verdad me aturde y me llena de desolación, es ver, entre las hojas de mi libro favorito ("*El elogio de la locura*" de Erasmo de Rotterdam), los pétalos del tulipán rojo que él me regaló el día de mi cumpleaños y que yo olvidé agradecerle. Tal vez mi actuar inadecuado se debió a la excesiva cantidad de vino que bebí esa tarde en aquel Bar de piso de mármol ubicado en la Gran Vía, adonde fuimos, o quizá no sucedió nada de lo que he narrado aquí, ni fue él con quien viví estas experiencias.

No sé si estoy chiflada o tengo una excesiva capacidad para inventar ficciones, como lo hacen todos los que vienen al mundo con esa extraña virtud de imaginar y construir universos inéditos. Sé que escribir es un ejercicio maravilloso pero, a veces, es alucinante y perturbador hasta el punto de hacer desvariar a quienes ejercen este oficio; por eso, quizá todo lo relacionado con las cuatro estaciones vividas bajo el mismo techo, como quedó escrito al principio de este relato, lo leí en algún libro que he olvidado; o tal vez… (siento escalofrío al pensarlo), la persona que está escribiendo esta historia no soy yo, sino él. Posiblemente después de nuestro último encuentro me ocurrió algo que me hizo perder la memoria (no sé qué pudo ser), o quizá todo es el resultado de una alucinación, de una de mis fantasías paradójicas, como las de mi adolescencia, cuando mi padre solía decirme, al verme confundida y preocupada: "Hija mía: recuerda que, muchas veces, las cosas no son como aparentan ser". (**J. R. R.**)

Intento dibujar nuestra historia en hojas de papel blanco —como sobre un escenario, según lo proponía el poeta francés Mallarmé—, y quizá publicarla en una revista o en un libro de relatos que él pudiera leer algún día. Escribirla desde mis sentidos y mi imaginación febriles. Traer a cuento esta historia de un viaje de la vida; narrada en voz femenina como un monólogo circular: el de un caracol que abandona, con placer y sin cicatrices, su propia casa silenciosa. ¿Acaso importa que sea imaginaria o soñada y al mismo tiempo una historia real? En verdad escribo desde afuera de mí misma. Cuentista y actriz, mujer pluma viajera y a la vez narradora y personaje de mi propia historia. Pero, ¡ah insania! ¿Soy yo, sin saberlo, imaginada, vivida y escrita por él? Desde el lugar desconocido en el que se encuentre, luego de abandonarme sin explicación, él me escribiría para leerse a sí mismo. Deviniendo autor en busca de mi personaje, tal vez para no enloquecer en la soledad y en el silencio de la creación literaria. O quizás, alienados él y yo, llamar a los lectores para que entren y resbalen hacia el interior de una historia insensata, ya escrita una y mil veces. ¿Será verosímil que otros escritores, un tercero, un cuarto… se digan entre palabras y líneas de encuentros fortuitos y pasionales, y sus voces sean aquí un sonoro e invisible palimpsesto de las estaciones del Amor?

En el bullicio de las estaciones de la Línea Uno del Metro de Madrid: en "Sol", "Gran Vía", "Tribunal", "Bilbao", la fantasmal "Chamberí", y finalmente, en nuestra estación destino: "Iglesia", tanto tú como yo, Amor, viviendo y muriendo de culpas, ficciones y recuerdos dibujados en el blanco escenario de páginas escritas y quizá publicadas un día. (**c. v. z.**)

En esta contradicción me debato mientras mis dedos resbalan hacia las hojas escritas. "Mujer pluma viajera", he escrito hace unos instantes, y siento que la poesía ganó sus espacios a pesar mío, las frases como "levitar del ensueño enloquecido" o "estrellas revoloteando por mi estómago" anclan, en palabras, a este hombre conocido por mi cuerpo y mis sentidos, ignorado en la razón. Una gran neblina parece cubrirlo todo, sin embargo, el texto requiere que el narrador sujete las riendas de la historia; que el deseo lo sienta quien lea estas palabras, y que el personaje, ¡ah, el personaje... posible escritor! ¿Él me está narrando? ¿Es él, que escribe por mi pluma desaforada? ¿Permití que las estaciones impartieran su poderío y él se adueño del corazón de la historia?

Una mano fresca toca mi hombro en este momento. La mano grande con vellos sobre el dorso me alcanza un vaso de agua. ¿Quieres? —me dice amable y algo confundido—. ¡Es él a mi lado! Real y de cuerpo entero. ¿Lo traje desde el Metro? ¿Tuve la imprudencia de hacer real mis fantasías? Lo toco, lo acaricio lentamente. Intento levantar mis ojos. Recorrerlo. No me atrevo... (**m. v.**)

Intento levantar mis ojos, sí, pero mis párpados no me obedecen; aún no puedo. Las constantes siguen ancladas en el tercer movimiento del *allegro* primaveral bajo ese cielo azul de invención y armonía de violines en que siempre existe un *ritornello* para que ninfas y pastores dancen eterna y gozosamente entre la naturaleza. Lo mismo que lo hicimos, él y yo, esa tarde de otoño por el Palacio de Oriente y por el Campo del Moro.

Cuando me percaté de su presencia en aquella estación del Metro, yo llevaba puestos los audífonos sobre mis orejas y escuchaba a Vivaldi: *allegro, largo, adagio...* rápido-lento-rápido. Violines, primavera...

Lento, el verano se introdujo: calor, viento huracanado —ya en el campo— que separó de la frente los rizos de mi hombre, y mi pelo tejió con el suyo una cortina para que nadie pudiera ser testigo de aquel beso en el *adagio*.

Rápido-lento-rápido. Do-do... sol-sol..., dice la viola, semejando el ladrido de la noche.

Fue en el arpegio de las corcheas donde me quedé profundamente dormida en el otoño. Él se fue y yo no sé más... Caí al suelo, y la hierba se convirtió en paredes blancas y máquinas de hospital que miden mis ritmos vitales, pero... ¿cómo puedo saber esto?

Cuatro estaciones; siempre cuatro: del Metro, del Año, de Vivaldi, de la vida... Y yo no puedo abrir los ojos y me invento.

Ahora me castañetean los dientes y estoy temblorosa. Oigo el gotero al lado de mi cama introducirse por el frío de mis venas entre las notas de invierno del violín. Noto como si caminara sobre el hielo que se agrieta. Sin embargo, siento una enorme alegría. Mis párpados comienzan a temblar queriendo abrirse. Danzan...

—Por fin despiertas. He necesitado repetirte tantas veces los *allegros*... Sabía que el frío del invierno lograría sacarte de este túnel del coma en que caíste.

—¿Quién eres? —balbuceo.

—Tu narrador, ¿no me recuerdas? Soy quien escribió tu tiempo de vacío, este lapso de vida en que te has ido. Bebiste demasiado vino aquella vez que fuimos al Bar de piso de mármol de la Gran Vía, y te golpeaste muy fuerte en la caída.

—Yo no te conozco. No te recuerdo; pero…, me gusta tu mirada, tu voz; me gustan tus rizos… Dame tu mano, por favor. ¿Me has cuidado todo el tiempo? ¿Cuánto tiempo?

—Todo el tiempo, sí; cuatro estaciones ininterrumpidas hemos vivido bajo el mismo techo. (**A. F.**)

8

LOS GEMELOS

Relato con inicio y desenlace escrito por Laura Hernández Muñoz.

"Al principio del mundo existieron dos hermanos: Caín y Abel, y sobraba uno". Así comenzaba el relato que nos hacía mi abuela sobre unos gemelos que vivieron en el barrio hace muchos años. "Ellos se llamaban Luis e Ignacio —decía ella—. Eran como el agua y el aceite, la noche y el día, el bien y el mal. Ignacio, *el Nacho,* era bueno como el pan y Luis, *el Lucho,* amargo como el té de ruda. Sus padres, gente endurecida con el hambre, trataron de educarlos a su manera: a gritos y golpes. A pesar de esto, Ignacio creció derecho y se hizo un joven de bien, pero a Luis, por el contario, el rencor le fue envenenando el alma y no perdía oportunidad en maltratar y aterrorizar a su hermano, quien siempre lo disculpaba y trataba de aconsejarlo". (L. H. M.)

Estas buenas actitudes desplegadas por la bondad de Ignacio irritaban enormemente a Luis. En lugar de nutrirse con su ejemplo, un odio visceral lo iba ganando. Si Ignacio se hubiera detenido tan sólo a mirar la cara de su hermano, podría haber intuido el mar de fondo, y también podría haberse evitado lo que seguiría en sus vidas. Pero como toda alma noble viene con cierta incapacidad para defenderse, con cierta inocencia que le hace presuponer que el mundo está así de torcido por falta de ayuda o de amor, no pudo o no quiso entender que su hermano Lucho, casi idéntico a él, físicamente, no era un espejo, sino la cara oscura de su propia personalidad.

Hasta la adolescencia, Luis se cuidó frente a su hermano de hacerle comentarios sobre su verdadero sentir. Se escondió siempre en un irónico silencio y despreciaba cada una de las acciones de Ignacio. Por entonces había descubierto la fatal condición de pasar por él en fiestas y en algún trabajo cuando sus bolsillos estaban vacíos. Disfrutaba enormemente al fugarse con adelantos de dinero y dejar mal parado "al otro". Así había comenzado a llamarle: "el otro", como si se tratara de un apéndice deforme de sí mismo. En las fiestas procuraba arruinar el clima de alegría, bien robando la torta de cumpleaños, o poniendo picantes en las bebidas, o llamando a la policía con falsas denuncias, o inventando una muerte trágica por el solo placer del revuelo y los llantos. Es increíble la rapidez de ingenio de aquellos que cruzan hacia el mal; el disfrute por los detalles que lastiman, o el regodeo en acciones que nunca son improvisadas.

Con cuerpos similares, robustos y atractivos a pesar de la pobreza, la única manera de saber si se trataba de Luis, *el Lucho*, era tenerlo de frente y observar su mirada diabólica. Cuando tuvieron veintidós años, Ignacio, lleno de alegría, le dijo a su hermano: "Estoy enamorado de la mujer más hermosa del mundo". Luis hizo una media sonrisa, se recluyó en su acostumbrado silencio, y se propuso, en ese mismo instante, que nada ni nadie le iban impedir a él arruinar el sueño de su hermano. (**m. v.**)

—Oye Lucho… ¿Alguna vez has estado enamorado? —preguntó Ignacio, tratando de romper, con la mejor intención, el mutismo de su hermano gemelo, sin imaginar, ni de lejos, las malas intenciones que Luis guardaba en su cerebro.

—¿Y por qué me preguntas eso? —dijo Luis en tono colérico; y encendió un cigarrillo de marihuana.

—Porque siempre te he visto con mujeres que vienen y van, como si lo único que te interesara fueran las relaciones sexuales con ellas y nada más.

—Ése es problema mío, y ya te he dicho que, si no quieres tener broncas conmigo, no te metas en mi vida privada. ¿Entendiste?

—¡Tranquilo hermano! Te lo digo porque me gustaría que conocieras el verdadero amor que nos hace ver las cosas en forma diferente. Eso lo estoy comprobando ahora que amo a Zulema. Con ella he confirmado que el amor es lo mejor que nos puede pasar en la vida.

—¡Bah…, esas son pendejadas! ¿No sabes que estar enamorado es como si tuvieras un maldito lazo en el cuello, igual al que les ponen a los animales para que no se vayan a otro potrero? ¿Y sabes otra cosa…? Eso fue lo que quiso hacer conmigo, la pinche Carlota, pero yo no me dejé.

—¿Por qué dices eso? —preguntó Ignacio recordando la imagen voluptuosa de quien fuera la más atractiva de las compañeras delincuenciales de su hermano.

—Porque cuando las hembras te ven embobado con ellas, se te montan encima y empiezan a joderte, como me pasó a mí con la tal Carlota que se convirtió, de la noche a la mañana, en levantisca, regañona y problemática, y de un día a otro se volvió una mujer violenta y peleonera; tan violenta, que si no la tuesto primero, el tostado iba a ser yo.

—Pero Lucho…, no debes generalizar cuando hablas de las mujeres. Recuerda que el caso de Carlota fue especial porque ella era una mujer con graves perturbaciones psíquicas como lo explicó el abogado que, al presentar el diagnóstico del médico que la había atendido semanas antes, logró que salieras de la cárcel argumentando que el homicidio fue en defensa propia. Además, entre tú y ella no había amor sino atracción pasional y complicidad en las fechorías; en cambio, en mi caso, el asunto es distinto porque Zulema y yo nos amamos limpiamente, con un amor integral y verdadero.

—No me hagas reír… Eso del amor integral y verdadero es pura basura. Lo dices porque estás atontado con esa hembra que crees es una santa, sin saber que…

Luis se calló para crear incertidumbre en Ignacio; lo miró detenidamente y sus ojos brillaron con maldad. Quería sembrar cizaña y dudas en el corazón de su hermano.

—¿Qué debo saber sobre mi novia?

—Pues eso… que estás viéndola a ella como si fuera una santa, sin darte cuenta que las mujeres que aparentan no matar ni una mosca, y que además tienen un cuerpo provocativo como el de tu novia, son las más resbaladizas, porque en cualquier momento se acuestan con otro, y tú te quedas con tremendos cuernos en la cabeza.

Ignacio sintió rabia e hizo un gesto de disgusto al oír ese comentario ofensivo contra Zulema y contra él, pero se controló y no dijo nada. Luis se dio cuenta que había sido efectiva su agresión verbal, lo miró fijamente, aspiró el humo del porro de marihuana y lo expulsó sobre la cara de su hermano. Ignacio quiso reaccionar pero, nuevamente tomó control de la situación. Movió la mano derecha sobre su nariz, a manera de abanico, para disipar el humo y se retiró un poco hacia atrás, mientras meditaba que él y Luis, aunque gemelos, eran totalmente diferentes en la forma de pensar y de actuar, tal vez, debido a que tenían distinto nivel de estudios y estaban inmersos en ambientes opuestos: Luis, en una pandilla de muchachos delincuentes del barrio en donde vivían, y él, con sus compañeros de la facultad de Psicología, en la Universidad adonde ingresó con una beca ganada por su buen rendimiento académico en el bachillerato. "Esa es una de las razones por la que él siente odio y envidia hacia mí" —pensó Ignacio—, y recordó que su hermano sólo había estudiado hasta el cuarto grado de primaria, porque en ese año fue expulsado por golpear a un niño en el aula de clases, y por robarle el reloj al director de la escuela.

Y no se equivocaba Ignacio: ese evento ocurrido en la niñez había sido el comienzo de su vida delincuencial, y también el inicio de la animadversión que sentía por él, y de su terca manía de considerarlo como "el otro", como su rival, como su peor enemigo.

Luis, al darse cuenta de que Ignacio no reaccionaba a su agresión, volvió a aspirar el humo del cigarrillo; lo retuvo durante un rato, y después lo fue liberando lentamente a medida que decía: "no - olvides - que - si - te - descuidas, - tu - pinche - Zulema - te - convertirá - en - un - Nacho cornudo", y soltó una ruidosa carcajada.

—¡Basta ya! —dijo Ignacio molesto; se desplazó hacia un lado, y pensó que la actitud agresiva contra Zulema y, en general, contra todas las mujeres, se debía a que durante la infancia, Luis no recibió demostraciones de cariño de su madre, como sí las recibió él. Recordó que para "enderezarlo", como ella decía, siempre lo castigó muy fuerte cuando realizaba alguna maldad, como en aquella ocasión que lo encerró en el baño durante dos días sin darle comida, por haber ahorcado a un pequeño perro que Ignacio recogió en la calle. Pensó que esa fundamentada severidad en el trato que le dio su madre, pudo haberlo transformado en una persona resentida y hostil, con una permanente actitud de rencor hacia su progenitora y también hacia las demás mujeres.

Volvió a mirar a Lucho y lo percibió nervioso, con el rostro tenso, la respiración agitada, a punto de estallar. Observó, también, el filo de la navaja que tenía en su mano derecha, la misma navaja de mango nacarado con la que asesinó a su amante Carlota, y que ahora utilizaba para limpiarse las uñas con movimientos bruscos e intimidantes. El arma brillaba en cada giro, colérica y amenazadora, igual a aquella noche en que su padre llegó, como todas las noches, ebrio y entonando el "fiu-fiu" de pájaro pobre con el que conquistó a su madre. Recordó la escena como extraída de una de las películas del terrorífico muñeco *Chucki,* que se proyectaban en las salas de cine en los años noventa: la habitación con una luz mortecina; su padre, borracho, tendido en la cama, y Luis, de once años de edad, acercándose sigilosamente a él, para sacarle de uno de los bolsillos del pantalón aquella navaja, sin importar que en ese momento el alcoholizado progenitor moría ahogado en su propio vómito. "Oye Nacho: si le cuentas a mi mamá que yo le robé esta navaja, te mato" —le había dicho colocándole el arma cerca al corazón, mientras lo miraba con una sonrisa diabólica, igual a la de *Chucki*—, y él, paralizado por el temor, pensó que su hermano era un tipo peligroso. (**J. R. R.**)

* * *

Zulema aceptó la invitación de su novio para ir al cine esa noche, y luego a escuchar música y bailar. Él pasó a buscarla a su casa con un poco de retraso, y cuando llegó, Zulema lo vio alegre y risueño. Fueron al "Trípoli" a ver un filme europeo —quizás un tanto lento en el desarrollo de la historia de un enamorado que debe partir al frente de batalla y que no regresa en mucho tiempo—. A la mitad de la película y de manera sorpresiva, él le comentó al oído que prefería ir a un bar: "Esta película es demasiado lenta para nuestro gusto" —dijo, y la invitó al "Tropicanita" a tomarse unas copas y a bailar—. "Está bien. ¡Vamos a bailar…! —dijo Zulema entusiasmada—. Tú sabes cuánto disfruto del baile en tu compañía; pero también sabes que yo no bebo". Él sonrió, y esa sonrisa de sombras húmedas la atemorizó un poco. "Entonces sólo te invitaré a probar un cóctel sabroso llamado *Fortunio*. Estoy seguro que te gustará. Hoy deseo celebrar nuestros seis meses de relación amorosa".

Zulema trata ahora de reconstruir lo ocurrido aquella noche en el bar "Tropicanita". Recuerda el sabor quemante pero delicioso del cóctel que bebió temerosa, sorbo a sorbo; la música explosiva —salsa y merengue—, tal vez demasiado atronadora, vibrando en su interior; las miradas de él detenidas en sus senos; las melodías bailadas en las que él, en otras ocasiones, respetuoso, acariciaba apasionadamente su espalda y sus nalgas; y el mareo o ebriedad que sintió —lo experimentaba por primera vez—, hasta perder la conciencia. Luego vendría el despertar angustioso, sola y desorientada, en una cama de un lugar desconocido y desagradable, con la certeza, en ese momento reflexivo, de haber hecho lo que viviría con toda lucidez en su matrimonio con Ignacio.

Adolorida en su profunda intimidad, tomó un taxi y regresó con las primeras luces del día a casa de sus padres. ¿Qué había sucedido? ¿Por qué él la había abandonado a su suerte esa noche? No podía recordar nada más.

Al día siguiente, como si nada hubiera sucedido, Ignacio fue a visitarla y a llevarle un ramo de rosas; la besó con ternura en la frente, y le dijo: "Mi amor, esta noche estoy un poco indispuesto. Me voy a casa, quiero dormir y descansar. El trabajo de esta semana ha sido agotador. Mañana te llamaré temprano. Te lo prometo". Su voz sonaba convincente con suavidad amorosa. (**c. v. z.**)

A Ignacio no le había pasado desapercibido el gesto de disgusto con que Zulema recibió el ramo de rosas que con tanta ternura había elegido él para su amada; tampoco se le pasó por alto aquella ligerísima confusión que había notado en Zulema cuando acercó sus labios para besarla, como si ella tratara de hurtarle la eventualidad de una caricia tan ausente de cualquier avidez libidinosa. Aunque si algo lo desconcertó fue aquella mirada inquisidora y dolorosa que parecía interrogarlo desde algún lugar profundísimo, más allá del horizonte donde él siempre pensó que debía nacer el río de las lágrimas de las mujeres. "Cosas de enamorados" —pensó para tranquilizarse, en la certeza de que a Zulema simplemente le incomodaba el tener que prescindir esa tarde de las suaves caricias que se dispensaban uno a otro cuando estaban juntos.

Pero, pasando los días, Ignacio tuvo que admitir que algo en la cabeza de su noviecita se había dado la vuelta, pues tan pronto rechazaba sus caricias, como si la acometiera un pánico sin sentido, como adoptaba gestos y poses absolutamente desconocidos en ella, que despertaban en su interior el más ancestral instinto masculino, y del que tenía que protegerse y proteger a Zulema a costa de lo que fuese.

Por nada del mundo quería que su bella amada se viera como se vio su propia madre por culpa del primer pendejo que al cruzarse con ella se le olvidó que era algo más que un ombligo con las piernas abiertas.

Una tarde, antes de que el sol se dejase caer por encima de los montes, Ignacio, tendido en la yerba del bosquecillo contiguo, tomó entre sus manos uno de los mechones de cabello de la muchacha y se lo llevó a los labios con devoción. A pesar de estar cara al cielo, con el sol poniente a sus espaldas, pudo ver con toda claridad cómo una lágrima se escapaba por el borde del ojo de la muchacha, y recorría su sien hasta perderse en el pelo. Justamente, en ese instante, antes de darle tiempo a preguntar por la causa de un dolor tan reservado, una especie de sombra brujuleó por encima de ellos arrancando un grito ahogado de la garganta de Zulema.

Ignacio era incapaz de comprender por qué todo el horror del mundo se había dibujado en la cara de Zulema que, incorporada sobre sus codos, miraba con ojos desencajados la figura enhiesta de un hombre idéntico a su novio, en cuyo rostro dibujaba sombras siniestras el sol poniente.

—Amor, no te había dicho que tengo un hermano gemelo… Te presento a Luis… —dijo Ignacio, y fue lo último que escuchó Zulema antes de perder el conocimiento, junto con un "fiu-fiu" insultante, que más que un sonido, era un garabato en los labios diabólicos del doble de su amado. (**S. M. B.**)

—¡No, Zulema, no! ¿Qué te pasa? ¡Por favor, despierta! Y tú, Lucho, ¿qué estás haciendo aquí?

Ignacio tomó una hoja grande del bosquecillo cercano para abanicar a su novia y hacer que volviera en sí; la zarandeó para reanimarla hasta que sus párpados comenzaron a dejarle sitio para ver de nuevo a los dos hombres tan parecidos que creyó ver a uno sólo. Volvió a asustarse, pero esta vez se controló.

—Cariño, es mi hermano Luis. Somos gemelos, no temas.

Luis, *el Lucho*, sonreía burlón, mientras miraba fijamente a Zulema repitiendo el ¡fiu-fiu! como si tal cosa, y contemplaba la escena en la que Ignacio tomaba a su novia por los hombros y la rodeaba para protegerla.

—¡Vámonos de aquí, Zulema, vámonos!

Caminaron hacia las calles contiguas en busca de una cafetería, para que ella pudiera tomarse una infusión mientras aclaraban las cosas. Atrás quedó *el Lucho*, impasible, de pie, en actitud retadora, las manos metidas en los bolsillos del pantalón, un palillo entre los dientes y el blanco de su dentadura asomado en la sonrisa.

—Toma esto, Zulema, te sentará bien —dijo Ignacio, mientras acercaba la taza hacia las manos de su chica—. ¡Bébelo despacio!

—¿Quién eres? —preguntó ella con la mirada fija en los ojos de… no sabía de quién.

—Soy Ignacio, cariño, el de siempre, el que te ama.

—¿El que me ama y me abandona?

—¿Abandonarte yo?

—Sí, aquella noche tan extraña, cuando me llevaste al cine y después a bailar al "Tropicanita"; la misma noche en que te empeñaste en que tomara un cóctel raro…

—¿Qué dices? ¿El "Tropicanita"…? ¿Un cóctel raro…?

—¿O no fuiste tú? Entonces… ¿fue tu hermano?

—¿Qué te hizo Luis…? ¡Cuéntame! Por favor, ¡cuéntame todo, Zulema!

—Estoy confundida… ¿de verdad eres tú Ignacio? No me engañes, por favor. Estoy tan confundida como aquella noche de la que no tengo claro si estuve contigo o con tu hermano —es que sois idénticos—, y no sé si quien me abandonó. ¿Fuiste tú o él…?

—Yo no te abandonaría jamás, cariño.

Por alguna razón, Zulema confió en él. Había algo en su mirada que le decía mucho más que todas las palabras del mundo juntas.

—¿Qué cóctel dices que te dio Luis?

—Creo que se llama *Fortunio*. ¿Hay algún cóctel que se llame así?

—Creo que sí.

—Lo tomé, me sentí mareada y después perdí el conocimiento.

—Debe haberle puesto alguna droga que te hizo perder el control. Eso es lo que él iba buscando. Todo lo tenía planeado. ¿Recuerdas qué pasó antes de perder el conocimiento?

—Yo no sé muy bien lo qué pasó. Él no se comportaba como te comportas tú... era irrespetuoso, atrevido, me acariciaba... pero al final me acabó gustando. Creía que eras tú. Lo que sí sé es que hay algo que debo contarte.

—¿Qué quieres contarme?

—Ignacio, no sé cómo decírtelo, pero...

—Zulema, ¿dime qué es?

—¡Estoy embarazada!

—¿Qué dices?

—Que estoy embarazada, y tal vez... ¡Nooo..., no puede ser! Tal vez fue tu hermano gemelo.

—¡Nooo... no es posible! Dime que no es verdad, Zulema. ¿Cómo ha podido, mi hermano, hacerte eso? ¡Me las pagarás, Lucho maldito! ¡Esta vez me las pagarás!

Zulema no podía aguantar el llanto, mientras Ignacio llevaba sus manos a la frente como si quisiera sujetársela. Por fin, él también estalló en lágrimas de rabia y dolor. Después, se levantó y entró al baño de la cafetería y tardó en volver.

—No importa, Zulema —dijo a su vuelta—. Yo te amo... Tendremos a ese hijo. (**A. F.**)

Ignacio llevó a Zulema a su casa. En el trayecto no se dirigieron la palabra. Al llegar, el muchacho besó en la mejilla a su novia y se alejó sin mirar atrás, como solía hacerlo. En su cabeza daban vueltas las ideas llenas de rabia. Unas palabras de Zulema le perforaban las sienes: "él era irrespetuoso, atrevido, me acariciaba... pero al final me acabó gustando". Se detuvo y golpeó la pared con los puños hasta sangrarse los nudillos. "Tengo que hablar con Luis, esto no puedo tolerarlo" —se dijo limpiándose las lágrimas.

Al entrar a la casa se dirigió a su habitación donde lo esperaba Luis recostado en la cama mirándolo con una sonrisa cínica, como la del diabólico muñeco *Chucki*. Al ver la actitud de su hermano, se le fue encima y se liaron a golpes. En la trifulca, Luis sacó la navaja de mango nacarado e intentó clavársela en el pecho; Ignacio forcejeó para quitársela y ambos rodaron por el piso. A los gritos y ruido de la pelea acudió la madre quien encontró la puerta cerrada. Tocó varias veces nerviosa. "¡Luis…! ¡Ignacio…!, —gritó desesperada—. ¡Abran la puerta! Los sonidos cesaron. Un silencio como filo de cuchillo reinó durante unos minutos. Después, la puerta se abrió.

—¡Ignacio, estás sangrando!

El muchacho no respondió, una herida profunda le cruzaba la cara. En el piso, yacía el cuerpo del hermano con la navaja clavada en el corazón. Al verlo, la madre se cubrió la boca para contener los sollozos y murmuró:

—Tenía que acabar así. Es una pena, pero Lucho se lo buscó. Dios lo perdone.

El caso del asesinato del gemelo fue muy comentado en el barrio y en la ciudad. El acusado fue absuelto por haberse comprobado que actuó en defensa propia. Varios testigos declararon frente al Juez la clase de engendro malvado que era Luis y, en cambio, lo bueno y correcto que era Ignacio. La tarde en que lo dejaron libre, Zulema fue a verlo. Se horrorizó al verle el rostro sin vendajes. Una cicatriz gruesa serpenteaba entre la nariz y la sien. Ella lo abrazó e intentó besarle pero un "fiu-fiu" en su oído la dejó paralizada, sin fuerzas para quitar las manos que le aprisionaban obscenamente, las nalgas. (**L. H. M.**)

9

Sombra y locura

Relato con inicio y desenlace escritos por Laura Hernández Muñoz.

"El tema para examen final será un ensayo acerca de: *Mujeres olvidadas de la psiquiatría.* Las referencias bibliográficas así como la filmografía están en línea, ustedes busquen en la página de la materia. Señorita Olga, para su investigación tengo información interesante. Espéreme al terminar la clase".

El profesor Francisco Méndez continuó hablando de las formas primitivas de tratar a los pacientes con trastornos mentales en las clínicas de Europa. Su clase era la más solicitada por los estudiantes de Psicología. Les interesaba la manera ortodoxa de impartirla combinando métodos tradicionales y modernos.

—¿Para qué te querrá?, —preguntó Isabel a Olga—. El maestro nunca se queda después de clase, ¿será que lo has conquistado con tus aires de niña intelectual?

—No digas tonterías, bien sabes que no lo soporto, es un misógino; sólo me dará la lista de películas con el tema de Sabina Spielrein y Jung; se la pedí en la última clase.

—Lo que sea, yo me quedo contigo, no dejaré a mi mejor amiga en manos de ese seductor. Es más, si se trata de películas, te acompaño a rentarlas.

Al terminar la clase se acercaron las dos muchachas adonde estaba el profesor, quien se dirigió a Olga de manera directa:

—Señorita Bernal, ésta es la lista de películas que pueden servirle para hacer la investigación sobre Sabina Spielrein. Estoy seguro que le serán de utilidad. Le recomiendo *Almas al desnudo* dirigida por Roberto Faenza; también *Mi nombre fue Sabina Spielrein* de Elisabeth Morton, y *Carl Gustav Jung* de Samuel Shang. Si apoya su ensayo con la filmografía, será un trabajo muy interesante. Espero que logre el objetivo del tema.

Olga sólo le miraba... era un hombre atractivo. Ella de diecinueve años y él, de cuarenta. Le atraía lo misterioso de su persona. Nadie conocía su residencia o el lugar donde trabajaba fuera de la Universidad. Su estatura y cuerpo atlético alteraban el sueño de la joven. Más de una vez tuvo fantasías húmedas pensando en él.

—¿Le queda claro, señorita Olga?

Al sentir el codazo de Isabel en las costillas, Olga regresó de su ensoñación.

—Sí profe, gracias, Ahora mismo voy a la tienda de videos a rentar las películas. ¿Me acompañas? —preguntó a su amiga.

Las muchachas salieron de la Universidad con un ataque de risa que no podían contener. La tienda quedaba a pocas calles. Entraron y dieron los nombres de las películas al empleado quien les señaló un anaquel al final del pasillo. Olga e Isabel buscaron el título: *Almas al desnudo.*

—¡Guau! Por la portada se ve es que es una película erótica. Si tus papás ya la han visto, te la prohibirán —comentó maliciosa Isabel.

—Tú siempre ves el lado oscuro de las cosas. La necesito para escribir el ensayo y nada más. ¡Mira, aquí hay otra! *Opio, el diario de una mujer poseída.* Parece interesante.

—Tu tema es Sabina Spielrein, ¿qué tiene qué ver ella con esta otra película?

—Aquí dice que es la relación tormentosa entre un médico psiquiatra y su paciente, igual que Jung y Sabina, puedo apoyarme en una ficción para completar un hecho real.

—Olga... estás delirando y vas a hacer un enredo.

—Precisamente eso es lo interesante, trataré de entender a

Sabina a través de otra mujer. Ésta será la primera película que voy a rentar. ¿Me acompañas a mi casa para verla?

—No, gracias, amiga. Me tengo que ir. Nos vemos mañana en la Universidad. (**L. H. M.**)

Mientras calculaba con desasosiego los días que Olga llevaba sin aparecer por la clase, Isabel aún recordaba el extraño eco urgentemente confuso contenido en la voz de su amiga al telefonearla esa misma mañana para interesarse por su ausencia. Ella le había contestado con evasivas sin sentido, eludiendo referirse a su trabajo de investigación, pero urgiéndole vehementemente una visita. No pudo negarse, y le prometió ir a verla nada más acabar la clase de Psiquiatría.

¿Por qué Olga había dejado de ir a clase desde aquel día en que fueron a buscar las películas recomendadas por el profesor? —se preguntaba Isabel llena de confusión—. Ella jamás se había perdido una clase del Doctor Francisco Méndez; pero fue en el momento en que éste empezó a explicar las "Técnicas comparativas para el tratamiento de las neurosis obsesivas", cuando entre Olga y el Profesor, pareció establecerse una sintonía tan sutil como evidente para todos los alumnos. Lo curioso —pensó Isabel observando al Profesor mientras hablaba de las técnicas comparativas—, es que él no parecía extrañarse de la ya larga ausencia de su alumna preferida cuando, apenas un mes atrás, Isabel era acosada a preguntas ante el más mínimo retraso de su amiga. Ahora la voz del Profesor le llegaba como un eco que la inquietaba, al que no conseguía prestar demasiada atención:

…Para entender a fondo aquellas teorías, deben saber que por entonces se pensaba que el útero de la mujer era algo así como un cometa desplazándose por todo el cuerpo, dejando tras sí un rastro de desequilibrios orgánicos. De ahí la definición de la enfermedad: histerismo, del griego ὑστέρα, "útero" —escribía el profesor en el pizarrón con caracteres griegos, haciendo chirriar la tiza sobre el encerado con un sonido semejante a un bisturí eléctrico con el que estuviera extirpando todos los úteros del Universo—. Por eso —seguía diciendo el Profesor— quienes estén interesados en este tema, deben investigar a fondo en la literatura recomendada. Allí encontrarán la clave de lo que buscamos.

Estas últimas palabras llegaron más a la mente que a los oídos de Isabel, descolocándole nuevas piezas del puzle que eran sus pensamientos. ¿La clave de qué?, —se preguntaba ahora—. La película que mencionaba el docente era la misma película que alquilaron la tarde en que Olga dijo: "trataré de entender a Sabina a través de otra mujer…". Y esa mañana, ¿qué era lo último que le había oído decir a Olga? "Tengo que contarte algo definitivo: por fin he decidido, en mi vida, lo que voy a hacer. ¡Tienes que venir y ayudarme…!". No le dio tiempo a seguir rememorando, porque el Profesor Méndez estaba diciendo algo que la desconcertó: *"¿Acaso el útero es una mala jugada de la naturaleza; una opción al desvarío…?* (**S. M. B.**)

"Jugar limpio o con justeza, significa Sabina Spielrein" —dice Olga, y su sonrisa más que alegre, es enigmática—. Isabel la escucha hablar como si Olga leyera las páginas del cuaderno que sostiene en sus manos. Descubre en ellas un ligero temblor. Las palabras susurran pero se escuchan perfectamente: "Un fin de semana, hace quince días, discutí terriblemente con mi padre porque deseaba salir a divertirme (llevaba encerrada varios días, centrada en la obra de Sabina sobre la esquizofrenia, la pulsión de muerte y su trabajo relacionado con la educación de los niños), y mi padre lo impedía con gritos desaforados. Yo también le levanté la voz. Entonces me golpeó el rostro con fuerza, gritándome 'histérica'…".

—Tú sabes, Isabel, lo que esa palabra significa para nosotras. A Sabina Spielrein, Jung la diagnosticó de la misma manera.

"Me golpeas como lo haces con mamá y con todas las mujeres —le dije sin derramar ni una sola lágrima—. Nos seduces y luego nos violentas". Papá me miró en ese momento con ojos desorbitados, y pronto se retiró a su habitación. Aproveché para salir del apartamento y dirigirme a *Plenilunio*, un bar frecuentado por profesores y estudiantes de la Universidad".

Olga hace una pausa y recorre con sus manos abiertas sus senos y su vientre, y se detiene sobre su sexo. Su mirada se extravía en recuerdos recientes. Isabel la observa y la escucha como si deseara la revelación de un secreto, desde un espacio y un tiempo de ensueño.

Ahí, en *Plenilunio*, estaba Francisco Méndez, saboreando un vaso de *whisky*, rodeado de sus estudiantes. Media luz en el bar y una lenta pero rítmica melodía de *jazz*; el saxo escalaba y descendía notas sensuales que frotaban mi piel. Mirándome a los ojos, él me invitó a sentarme a su lado sin que se produjera ningún comentario de esas estudiantes casi adolescentes. "Olga también es Sabina, como cada una de ustedes" —dijo él en un tono de voz desconocido para mí—. "Sabinas", querrá decir —afirmé—. "Y queremos jugar limpio antes que nada, sin Rómulos romanos ni Jungs alemanes". Francisco volvió a mirarme detenidamente, y sentí que me deslizaba hacia sus brazos. Sorbí un trago de *whisky* de su mismo vaso. Pero, sin pensarlo dos veces, resolví ponerme de pie y salí precipitadamente del lugar. Escuchaba mis pasos al correr sobre la acera. De pronto, sentí que dos manos fuertes me rodearon por la cintura; al volverme, en la penumbra de la calle, me encontré con el rostro de Enrique, el novio de mis quince años, mi primer amante, a quien mi padre nunca quiso. Esa noche amanecí en su apartamento de alegres recuerdos y culpabilidades. Pero, querida Isabel, Enrique no será nunca Francisco. Sus monosílabos no son las seductoras palabras de Méndez.

El sábado siguiente, regresé a su mesa en *Plenilunio*, a su mirada en una sola dirección, a sus brazos ciertamente romanos o alemanes, a su creciente círculo de Sabinas.

—Consiguió su objetivo el profesor Méndez —afirmó Isabel con disgusto. (**c. v. z.**)

—No lo culpes a él, amiga. Yo fui quien lo buscó. Yo fui quien, con el pretexto de escuchar *jazz* y tomarme una copa, llegué a ese bar sabiendo que allí lo encontraría.

—¿Y qué sucedió después? —preguntó Isabel, ansiosa por descubrir el secreto que Olga quería revelarle.

—Bailamos, bebimos, conversamos… Se interesó en conocer la historia de mi vida, y yo se la conté sin evasivas. Él fue tierno y detallista; me tomó las manos, me las acarició y de pronto, estábamos besándonos —qué manera de besar tan deliciosa tiene ese hombre—, y bueno… a la media noche salimos de *Plenilunio*, subí a su automóvil y ya te puedes imaginar… terminamos en un hotel.

—¡No puede ser! ¿Terminaste en un hotel? Acaso… ¿te volviste loca?

—¡No Isabel! Loca no. Sólo estaba un poco embriagada, pero en todo momento fui consciente de lo que hacía.

—¡No te comprendo! Tú que decías que no lo aguantabas porque era un misógino insoportable, ¿ahora me cuentas que fuiste a buscarlo para seducirlo y para terminar acostada con él?

—Bueno… la verdad no estoy segura si yo lo seduje, o fue él quien me sedujo. No se… pero me siento apenada y tengo un extraño sentimiento de culpa. No quiero que tenga problemas en la Universidad por mi causa, ni tampoco que piense que soy una "buscona", o que me entregué a él para conseguir una nota alta en el trabajo de investigación que me pidió sobre Sabina; pero sobre todo, no deseo que sepa que estoy enamorada de él.

—¡Olga! ¿Qué dices…? Estás enamorada del Doctor Méndez?

—Creo que sí, amiguita. Siento que lo amo con pasión y ternura.

—Mejor deberías decir: con pasión y locura; pues… ¿no te das cuenta que es un hombre casado y que te dobla la edad?

—No quiero pensar en eso. Lo único que sé es que estoy fascinada con Francisco; lo admiro como profesional, como hombre capaz de comprenderme. Me encanta su madurez, su inteligencia, su sensibilidad; también sus labios, sus manos, sus caricias, su forma de enamorarme… Cuando estoy con él quedo como hipnotizada y me siento dichosa; pero después, cuando llego a casa, me da rabia conmigo misma por permitir que él haya despertado en mí este amor apasionado, incontrolable y contradictorio que por momentos me parece una obsesión. Es como si mi mente lo rechazara y dijera que no, y mi corazón afirmara lo contrario.

—No sabía que tuvieras ese conflicto interior que dicen que es típico en las mujeres jóvenes que se enamoran de hombres casados y mayores que ellas; algo relacionado con el Complejo de Electra. Si él fuera un hombre soltero el asunto tendría otro color, pero teniendo esposa, creo que la situación es diferente. Tú sabes que eres mi mejor amiga y que te quiero mucho. Por eso no me gustaría que sufrieras un desengaño. ¿Qué tal que sólo sienta por ti una atracción pasajera, un deseo, un capricho de adulto, una pasión… y que sea a su esposa a quien ame verdaderamente?

—No lo sé, Isabel… tal vez algún día decida averiguarlo, pero en este momento yo creo que es cierto lo que él me ha dicho, o sea, que es a mí a quien ama, y no a ella. Pero si eso no fuera así, yo no tendría problemas porque lo único que me interesa es ser feliz amándolo sin inquietarme por lo que él sienta por mí. No sé si estoy en lo correcto o estoy equivocada, ni sé tampoco si un día me arrepentiré de este acto de amar sin pedir retribuciones, que hoy pienso es el estado más libre y autónomo que podemos asumir los seres humanos.

—Entonces… ¿tampoco te preocupan los comentarios que empiezan a oírse en la Universidad sobre tu relación con él, y sobre el daño que te está provocando el escribir el ensayo sobre Sabina y Jung?

—Ya te dije que no quiero que él tenga problemas en la Universidad por mi culpa, y por eso he tratado de mantener mi relación en secreto, pero lo que definitivamente no me interesa, es que mis compañeros digan que estoy a punto de chiflarme con tantos libros que he leído, y con tantas películas que veo, una y otra vez, especialmente

Opio, el diario de una mujer poseída, que me ha impresionado muchísimo porque trata sobre la historia de Gizella Klein, una paciente histérica, que escribe compulsivamente, como yo misma he empezado a escribir en estos días sobre Sabine, y también sobre mis experiencias amorosas con Francisco, que para decirte la verdad, últimamente me tienen algo perturbada y confundida. Ya te hablaré sobre esto, pero antes te voy a mostrar un fragmento de mi ensayo y después veremos la película. Sé que te va a impactar. Es un film que está lleno de claves psiquiátricas y escenas realmente controversiales de amor y odio; de atracción y rechazo; de sombra y locura… Ya lo comprobarás tu misma. **(J. R. R.)**

"La condición de histeria no es privativa de la mujer, y si bien la capacidad física del útero, nos remite a la histeria de los tiempos iniciales de Jung y Freud, el gran acierto que se deduce de Sabina Spielrein, es el de haber sido el espejo roto de la pulsión de deseo de los hombres".

—Amiga, esto que pones en el ensayo, es… es…

—¿Controvertido?

—Casi escandaloso, Olga. Das vuelta a la teoría.

—No. Yo restablezco la mirada. A través de mi cuerpo y de ese amor incontrolable por Francisco Méndez, se hizo la luz sobre Sabina. Ella era la depositaria de las pasiones. A ella llegaban como oleadas frenéticas y no sabía ni contenerlas ni encauzarlas. Se dejó arrastrar y casi muere en el intento. ¿Cómo decir lo prohibido? ¿Cómo darse permiso?

—Olga, sigo sin entender. Tú dices estar enamorada apasionadamente del profesor Méndez.

—Tal vez estoy seducida por él. Ese es el término. Él es quién contiene un útero que ocupa su centro. Él es quien todo el tiempo justifica las señales físicas que emite. Es él, quién inventa cada sábado una salida decorosa o encubierta a su deseo pasional. Es él y no otro quien sale de cacería en las noches.

—Pero… es terrible lo que dices.

—Lo terrible es la obsesión en la que estoy embarcada. Mi cuerpo lo desea, se enciende al sólo verlo. Mi mente lo repulsa, presiente que es manipulada. Su juego es de horror y pasión.

—¿Vas a presentar el ensayo?

—No tengo otra salida. Voy a enfrentar a su oscuro monstruo. O me despide o me ama. (**M. V.**)

—Él posee el imán y yo vuelo hasta imantarme en su epicentro. Y, aunque te he dicho que mi mente lo repudia, a veces dudo y pienso que eso tampoco es cierto.

—Olga, últimamente tú no lo has podido observar porque no has ido por sus clases, pero yo he notado como si la figura femenina estuviera presente en todas las teorías que expone Méndez. Alude al simbolismo con la madre tierra, como arquetipo de la vida, la pulsión de muerte y su relación con el placer… Lo femenino vibra en él como una sombra perenne.

—¿Sabes? Mañana mismo me armaré de valor y me presentaré a entregarle el trabajo.

—Pero… ¿estás segura?

—¡Lo estoy! ¿Te apetece que quedemos a comer y luego nos vamos juntas a la Facultad?

—Ok. Si quieres nos vemos en el restaurante "Luvina" y seguimos hablando, ¿sí?

—¡De acuerdo! Allí nos vemos.

A medida que Olga ponía en orden cada uno de los folios de su trabajo sobre Sabina Spielrein, el temblor de sus manos iba en aumento. Consiguió, por fin, meterlos en una bonita carpeta y guardó todo en su bolso. Antes de salir de casa se maquilló cuidadosamente pero sus manos seguían temblando, y aplicarse el rímel fue una tarea complicada. Cuando se dio el visto bueno, respiró profundo, pero apenas era capaz de hacer descender su ritmo cardíaco. Abrió entonces el botiquín y decidió tomarse un tranquilizante. Por si acaso, metió en su bolsillo la caja completa, no fuera a ocurrir que se pasara el efecto y necesitara aplicarse otra dosis.

Cuando llegó al "Luvina", Isabel no estaba todavía. Se sentó y pidió un cóctel "Margarita". Mientras esperaba, se dedicó a hojear el periódico. Las noticias se entremezclaban con las palabras de Méndez que ella recordaba. Las imágenes del diario, formaban un rompecabezas con el rostro del profesor. Apuró un trago de la copa y respiró fuerte. Isabel tardaba y la copa iba quedando vacía. Ya le servían la segunda cuando Isabel llegó a la cita.

—Perdona, Olga. El autobús se retrasó. Lo siento. ¿Ya has echado un vistazo al menú?

—Amiga, estaba mirando las noticias. Siéntate, tenemos tiempo de sobra para comer y charlar antes de ir a la Universidad.

—Y ¿cómo estás, Olga…? ¿Nerviosa?

—Sí, la verdad que sí lo estoy, pero nada que no solucione una buena "Margarita". ¿Pedimos otra?

—De acuerdo.

Las dos amigas charlaban, reían, bebían… A Olga le afloraban de cuando en cuando risotadas de esas que algunos denominan "risas histéricas".

—Sólo queda media hora, Olga, ¿nos vamos?

—¿Te importa ir delante, por favor? Me gustaría quedarme a solas un ratito antes de llegar ¿no te molesta, verdad?

—Bueeeeno… De acuerdo, pero no vayas a beber más, por favor, que ya has tomado mucho. Nos vemos en la clase. No tardes.

La clase ya había comenzado cuando Olga abrió la puerta del aula quedándose quieta sobre el quicio. Méndez interrumpió la frase al girar su mirada hacia esa puerta. Toda la clase miró, también, hacia ese lugar. Olga dio un paso hacia delante; su equilibrio no era bueno. Isabel la observó preocupada y comprendió, mejor que nunca, la tesis de Sabina Spielrein sobre la pulsión de la destrucción. (**A. F.**)

Olga caminó despacio hasta una silla junto a Isabel. Tenía el rostro transfigurado. Su mirada fija sobre el profesor, era retadora. Los alumnos guardaban un expectante silencio. En el ambiente flotaba una energía extraña, era como el momento que antecede a la tormenta. El profesor seguía con la clase, tratando de ignorar el reto que le planteaba Olga. Sabía que ella estaba decidida a todo —recreación de la escena donde Sabina le pide un hijo a Jung y también le pide que se divorcie de su esposa—. "No —se decía a sí mismo—, no dejaré que esta niña destruya mi vida. Yo tengo el control; yo soy el adulto". La última sílaba aún no terminaba de hilarse en su mente cuando se escuchó la voz de Olga:

—Profesor Méndez, ¿usted cree en la teoría de *la sombra*?

Sin voltear a mirarla respondió: "Ése es el tema del próximo semestre, hasta entonces no responderé su pregunta".

—No señor. Tiene que ser ahora —dijo la muchacha con energía, sorprendiendo a sus compañeros, y agregó: tiene que ser ahora, porque toda la charlatanería que nos ha indilgado estos meses hablando de histeria, fragilidad emocional y reduciendo a Sabina Spielrein a una chica esquizofrénica, sólo esconde su miedo a la mujer.

Al decir esto, una expresión de asombro salió de todas las gargantas; el profesor giró sobre sí mismo y enfrentó a su alumna:

—¿Puede repetir la aseveración?

—Lo dije muy claro, usted es un cobarde, un poco hombre, un acomplejado, un… Isabel trataba de calmarla, sin entender la actitud retadora de Olga.

La última frase quedó suspendida ante la salida súbita del profesor Méndez del salón, actitud que imitaron todos los alumnos, excepto Isabel quien miraba atónita a su amiga que seguía observando, completamente ebria y abstraída, el sitio donde había estado el profesor.

—No puede hacerme esto, tiene que responder, él sabe la verdad, debe enfrentarme —insistía frenética—, él sabe todo, no podemos repetir la historia.

Isabel la miraba desconcertada sin comprender lo que Olga decía; la tomó por los hombros y suavemente la condujo hasta la salida de la Universidad; pidió un taxi y la llevó a su casa. Olga estaba en estado catatónico repitiendo una y otra vez: "él sabe la verdad". La mamá llamó de inmediato a un médico quien diagnosticó: "trauma emocional severo", y recomendó descanso absoluto. Isabel se retiró sin comprender lo sucedido; pensó que fue el exceso de alcohol lo que afectó a su amiga y la hizo actuar en forma tan agresiva y extraña. "Mañana vendré", le dijo a la mamá de Olga antes de salir.

* * *

El destello de una luz intermitente despertó a Olga. Le molestaba la insistencia luminosa sobre su rostro. Al acostumbrarse a esa luz, pudo ver a varias personas a su alrededor observándola. No podía verles la cara; hablaban en voz baja. Una monja robusta con uniforme de enfermera la tomó por los brazos y la levantó de la silla sacudiéndola y hablándole en alemán:

—¿Vas a comer o quieres que te obliguemos? Si no comes no volverás a escribir.

Olga entendía perfectamente lo que escuchaba. La voz ronca de aquella mujer hablaba sobre comer y escribir. El cuerpo le dolía. La llegada de alguien hizo que todos se hicieran a un lado. Era un hombre de mediana edad con bata blanca que se inclinó hacia ella. Su rostro le parecía familiar pero no pudo precisarlo.

—¿Comerá voluntariamente señorita? Termine con este sufrimiento, obedezca a la hermana Hortensia y podrá volver a su habitación a escribir; ya ordené que se le dé más papel y lápices. Si me lo permite… —el doctor acercó la cuchara repleta de avena a la boca de Olga, y ella la escupió.

—Así no va a funcionar nuestra relación. Si no coopera me veré obligado a permitir que la alimenten por la fuerza.

El doctor se retiró. Olga fue atada a la silla con correas de cuero. Una enfermera introdujo un tubo en su boca, y otra vació leche dentro de él. Al terminar la tarea, la llevaron a una habitación en donde pasó más de media hora para acostumbrarse a la oscuridad que había allí. Cerca de ella alguien roncaba. Poco a poco pudo orientarse y percibir el lugar: era un cuarto con una ventana enrejada, una mesa, una silla y dos camas. Había hojas de papel tiradas en el piso y pegadas a las paredes. Sentía un malestar en el estómago y en la garganta; el tubo la había lastimado; casi no podía tragar saliva.

Al día siguiente, el doctor llegó temprano a su consultorio. La visita a los pabellones sería a las ocho. Se dirigió al mueble donde se guardan los medicamentos y extrajo una dosis de morfina que preparó para aplicársela en una de las venas de su brazo izquierdo. Cerró los párpados y suspiró profundamente. La droga era la razón por la que él estaba en ese hospital. Ahí nadie cuestionaba lo que hacía. El único peligro era el doctor Carl Gustav Jung; desde el primer día lo miró de manera desconfiada. Tendría que ser más cuidadoso. La llegada de la hermana Hortensia, para la inspección de pacientes, lo sacó de sus cavilaciones.

—¿Comenzamos, doctor?

—¿Vendrá el doctor Jung con nosotros?

—No, él llegará más tarde.

Olga abrió los ojos y se encontró con el rostro del psiquiatra y el de la hermana Hortensia.

—¿Cómo durmió? —preguntó el doctor—. Anoche nos dio algunos inconvenientes, pero supongo que ahora tomará su desayuno y se comportará bien. En el expediente dice que su nombre es Gizella Klein, ciudadana húngara, ingresó al hospital el 17 de agosto de 1904.

—No. Aquí hay una confusión, mi nombre es Olga Bernal, estamos en octubre de 2013; vivo en México con mi familia y asisto a la Universidad. Usted lo sabe bien, porque es el doctor Francisco Méndez, mi profesor.

—¿Si no es Gizella Klein, por qué entiende el húngaro y el alemán?

La hermana Hortensia movió la cabeza e hizo un gesto en señal de lástima.

—Será como tú quieras, niña, pero ahora vas a asearte y a comer. No podemos quedarnos todo el día contigo. Siéntate y abre la boca. No nos obligues a darte los alimentos como ayer. Después podrás salir al jardín, te hace falta un poco de sol, y al volver... mira, ya pusimos papel y lápiz en la mesa para que sigas escribiendo que es lo que te gusta hacer.

Olga no comprendía. Su mente se llenaba de ideas confusas, de sombras densas y de imágenes extraídas de las películas que había visto; sin embargo, el doctor la llamaba como la protagonista de una de ellas. Pensó que era una pesadilla y optó por obedecer a la monja robusta. Se tocó la cabeza y notó que su cabello largo había sido cortado. Un temblor súbito la poseyó y comenzó a gritar. Dos enfermeras se acercaron y trataron de calmarla, sin lograrlo. La hermana Hortensia le pasó al doctor una jeringa y éste la inyectó. Olga se desplomó inconsciente y cayó al piso.

Al despertar se vio atada a la cama. No podía hablar y su cuerpo convulsionaba. Observó que el doctor tenía en sus manos las hojas que ella había escrito por la mañana. Él la miraba a distancia, con gran atención. Encontraba fascinante a aquella muchacha que juraba venir del futuro y que escribía sobre otra paciente de quien aseguraba conocer lo que le sucedería. Con ese caso probaba sus postulados sobre trastornos de la personalidad. El mismo Freud tendría que reconocerle sus avances. Él descubriría lo que Gizella Klein encerraba en su cerebro. La historia narrada en primera persona era un ensayo excelente sobre el conocimiento de sucesos de una persona que aún no los había vivido.

Los efectos de la morfina comenzaron a diluirse. Una idea malévola cruzó por la mente del psiquiatra. Esos papeles tenían que ser suyos; él se apropiaría de esa historia para presentarla en el Congreso de Viena. Así sería respetado por el mundo científico. ¿Y la joven…? Presentaba convulsiones y falta de reflejos. ¿El tratamiento la había dañado? No podía dejarla así; el doctor Carl Gustav Jung era muy estricto en cuanto a la ética de los tratamientos a los pacientes; de seguro lo expulsarían del hospital por no haber pedido autorización para aplicarlos. ¿Qué hacer? Su mirada topó sobre la jeringa que había utilizado para inyectarse la morfina.

* * *

La noticia de la muerte de Olga por una sobredosis impactó a Isabel y a todos sus compañeros de la Universidad. Nadie podía creerlo. Sus padres la habían encontrado tirada en el piso de su habitación. Junto a ella estaban las hojas del ensayo magistral que escribió acerca de Sabina Spielrein, y en la pantalla del televisor, la película *Opio, el diario de una mujer poseída* seguía proyectando sus imágenes perturbadoras. (**L. H. M.**)

10

Amaneceres

Relato con inicio y desenlace escritos por Socorro Mármol Brís.

A mitad del primer beso se me acabó la tinta y no supe qué escribir. Hacía frío, y el beso, a pesar de su urgencia, se quedó congelado tras la pantalla del ordenador. (**s. m. b.**)

Él me miró sorprendido, pensó un instante y después se marchó veloz. Se perdió en la profunda frialdad de la pantalla. Ocurrió al amanecer de un febrero inverosímil que tal vez no volverá a repetirse. Su imagen entrañable y taciturna quedó borrosa, etérea, innominada en la huida, como si fuera la de un fantasma que no regresaría jamás. (**j. r. r.**)

En mis sentidos, una sensación imprecisa de vacío y locura, como línea de horizonte sin cielo azul ni arreboles; y en mi memoria, la certeza de lo desconocido: un abismo "a flor de labios".

¿Cómo encontrar las palabras para saber los hechos recientes, para relatar esa imagen etérea? Además, ¿cómo decirnos una situación deseada, pero a la vez impensable, en la que nos encontramos inesperadamente, como la de Nadja en el París diurno y nocturno de Bretón y los surrealistas?

¿Quién era y será ese otro yo huyendo en mis ficciones? Aquí, ahora, un fantasma volátil, innombrable aún, quizás el síntoma silencioso de mi propio interior evanescente: algo o alguien agónico… (**c. v. z.**)

Implorando sin esperanza, porque no sabe si existe en una realidad paralela, donde unos labios rojos escarlata evitan dar refugio al beso peregrino.

¡Ah! Si yo pudiera franquear sus puertas e introducir la suavidad húmeda de logos, Sherezade palidecería ante la fogosidad de mis relatos, donde mil besos serían preámbulo para cada una de esas noches en las que la muerte aguarda. Sin embargo, la sensación de impotencia ante ese muro escarlata, crece, haciéndome sentir que soy yo quien se diluye tras la pantalla. (**L. H. M.**)

No había forma de pasar a un nivel más álgido, en la pasión, que el iniciado por aquel beso incipiente. El corte brusco y frío de los labios me dejaba sin recurso alguno, sin humedad alguna. Pensé en imaginar un fuego que calentara flujos y acelerara la historia al punto donde yo quería llevarla momentos antes del enfriamiento. Apreté mis sienes mirando fijo a la pantalla: inmóvil, el beso se diluía, ya no alcanzaba a verlo, era una sombra oculta solamente. Pensé en abandonar, pero pulsé reinicio. (**A. F.**)

A estas alturas de ensoñaciones, de surrealistas escapados, y aún con la modorra de una noche que se niega a desaparecer, me estiro entre las sábanas. Por la ventana entra una luz temblorosa, indecisa, que apenas despierta los bordes de los muebles. Entonces mi pierna lo toca; toca una superficie de carne tibia, una superficie de hombre. Oscuro entre las sombras, pero vivo junto a mi cuerpo, escucho su respiración. Huelo la salvaje humedad de su piel.

No me atrevo a abrir los ojos. ¿Puede una pantalla convocar? ¿Puede la locura lamer, tocar, oler? ¿Estaré volviéndome loca? ¿Qué debo hacer sin congelarme por el terror o el deseo? (**M. V.**)

Pero… ¿qué sucede? Por qué amanece si aún no son ni las cinco de la mañana… No, no hay señal alguna… No respondió a mi llamada. Despúes del primer beso congelado, ni un mensaje en el correo, ni un indicio que diga que vive. Debí dormirme mientras esperaba su regreso, como cada madrugada durante los últimos tres años transcurridos desde que nos encontramos por primera vez.

¡Oh, Dios! ¿Por qué seguir poniéndole cuerpo y pasión en mis sueños a alguien tan diferente y, a la vez, tan semejante? Tan lejos y tan cerca de mí que parece un fantasma emergiendo luminoso del fondo de la nada.

Tanta luz engañosa repetida un día y otro tras la ventana, sin conseguir que vuelva a amanecer junto a mí. (**s. m. b.**)

11

Puntadas en mi boca

Relato con inicio y desenlace escritos por Socorro Mármol Brís.

No es que la pereza le ganara la partida. De haber sido por ella, hubiese empleado lo que le quedara de vida en coserse la boca, aquel hueco de acceso al oscuro lugar donde arrinconaba la memoria del único día que no podía borrarse: el de un lejano 30 de Noviembre en que tuvo que cederle a la Muerte una vida que ella había bordado durante nueve meses, y luego gozado durante diecisiete cortos años. Pero sus manos que, desde aquel lejano día, ya no tenían fuerzas para cerrar semejante grieta, ni siquiera con una aguja de coser cuero, sí que pudieron ir hasta su boca y reprimir un nuevo gemido, sin acordarse de que acababa de coserse aquellos labios por los que ya no volvería a salir ninguna maldición ni queja alguna. Al menos le quedaban aquellas manos que aún le servían para escribir todo lo que su boca debería callar en lo sucesivo, ya que nunca podría borrar lo que jamás debió haber dicho. Y escribió… (**S. M. B.**)

"… Hoy decidí no volver a hablar, y para lograrlo en forma definitiva, cosí mi boca con la aguja más afilada que encontré en mi casa, cuidando de dejar un pequeño orificio para alimentarme con líquidos. Todo lo que pude y quise decir, ya lo dije durante mis cuarenta y ocho años de vida. De ahora en adelante dejaré a mis manos la tarea de expresar mis pensamientos y mis deseos: cuando tenga ganas de que me acaricien, lo indicaré con mi mano derecha —la misma con la que seguiré escribiendo—; cuando quiera demostrar ternura, acariciaré con mi mano izquierda; y cuando necesite estar sola, lo diré colocando las dos manos sobre mi pecho".

"Gracias a las puntadas con las que cosí mi boca, nadie volverá a oír mi voz y tampoco podrán escuchar, de nuevo, la historia de mi sufrimiento. Es posible que algunos piensen que perdí la cordura aquella tarde, cuando mi hijo murió trágicamente. Otros tratarán de esquivarme pues suele suceder que hay personas que rehúyen a quienes sufrimos una experiencia tan triste y desgarradora, como si el sufrimiento y la aflicción fueran enfermedades contagiosas. Por eso no volveré a hablar nunca más sobre mi dolor aunque, dentro de mí, lo sienta como un río turbulento que horada mis orillas de tierra desangrada y de arbustos derribados por la tragedia."

"Mis días futuros serán silenciosos y atormentados hasta que consiga hacerme a la idea de que yo no tuve la culpa de la muerte de mi hijo, o hasta que logre acallar esa voz interior que me dice que estuve ciega y sorda ante las preguntas que él me hizo desde niño y que yo no pude o no supe atender porque siempre estaba ocupada en otras cosas. Eso me aflige y me hace pensar que el día de su muerte algo se rompió dentro de mí irremediablemente. Hoy sólo espero que el consuelo y la tranquilidad total lleguen a mi espíritu antes de que yo fallezca. Mientras tanto, sé que muchas personas, al ver mis labios clausurados, afirmarán, una y mil veces, que estoy loca e insistirán en averiguar el motivo de mi flagelante temeridad, pero con mi escritura, espero demostrar a mis detractores que aunque me siento fracturada y herida, estoy más cuerda que muchos de ellos". (**J. R. R.**)

"Ahora quisiera borrar con mi mano izquierda lo escrito por mi mano derecha. Por voluntad propia, dejaré también mi mente en blanco durante varios días, para olvidarlos a todos en su insignificancia. Entre tanto, las aguas del río aumentarán su caudal por lluvias interminables y su suave rumor de hoy, como viejos alfabetos de ternura, pronto será bronco y cascado. Desde mi fortaleza lo escucharé en su deslizar espectacular; su furia será incontrolable como la de nuestros dioses olvidados pero omnipresentes. Y lo vislumbraré una noche de estrellas apagadas con su inmensa carga de lodo, árboles descuajados, raíces y rocas, como una ola inescrutable. Luego renacerán el silencio y la paz, y mi mente continuará en blanco en comunión con la Naturaleza. Pocas personas recordarán mi nombre y mi visión de la vida y de la muerte… Es todo lo que tengo por escribir". (**c. v. z.**)

Ella permaneció así por varios meses que se transformarían en años. Su boca cosida. Sus manos, enarbolando las palabras no dichas, se hicieron expertas en diálogos silenciosos. Entonces ocurrió: los ríos desbordaron su cauce y arrastraron piedras, animales, casas… Un bramido espantoso se adueñó del paisaje, para dar luego espacio a la calma, a los pájaros, al verdor incontenible de los árboles.

Ella se hizo visible para todos. Ella, que deseaba fundirse con la Naturaleza, fue vista por los otros. Su boca cerrada con las fatales puntadas le dio un aire de Amazona. Algo cristalizado exhalaban sus manos en el recorrido certero de la derecha o la izquierda. Las personas comenzaron a llegar desde todos los sitios. La rodeaban en completo orden, esperando el ir y venir de esas palomas susurrantes en que se le habían convertido sus manos. Hablaban muy bajo como si estuvieran en un recinto sagrado, y ese propósito podía llevarles largas jornadas de espera. Ella prefería la noche y la luna. En los charcos plateados, en el incesante camino de las sombras, pudo escribir con la mano derecha sobre la frescura del aire… (**m. v.**)

…y sobre todo lo que había conseguido tras amordazar su verbo hablado. Pero un amanecer se despertó con la boca ensangrentada. Mientras dormía, su mente bajó la guardia y olvidó permanecer en blanco.

Aquel lejano día en que cosió sus labios, pensó que no había que temer por el cordón umbilical, pues, en su momento, ya había sido cortado y anudado. Sin embargo, no calculó que el ritual no extingue el nexo, sino que sólo lo cambia de lugar después de haber parido al hijo, para instalarse en la mente de la madre de por vida. Y en aquel pasado en que hubo de ceder su maternidad a la maldita Muerte, escondió ese cordón sagrado en su memoria. Ella, que tuvo el valor de coserse las palabras, no había tenido fuerzas aquel día para llevar la gran aguja hasta ese estante. Por eso, en el olvido en que el sueño la llevó a dejar la mente sin cerrojo, llegó el hijo a visitarla, y cada puntada de su boca se rasgó sangrante cuando, sobresaltada, no pudo evitar gritar su nombre. (**A. F.**)

¿Su nombre? ¿Cuál es el nombre que puede darse al dolor, al remordimiento? Él trató de hablar con ella, decirle la angustia que en su corazón adolescente cargaba: las humillaciones de los compañeros de escuela, el rechazo del padre, la culpa vergonzosa acusándole de ser distinto. Ella no veía más allá de la fantasía que como madre había recreado para su hijo. Él era bello, perfecto, un ángel venido a la tierra. Su amor inconmensurable hacia él la había alejado de todo lo que no giraba en torno a su amado. El esposo desapareció entre los muebles y el polvo de las paredes, nadie era más importante que su hijo. Lo fue convirtiendo en un apéndice de sí misma, en un reflejo de su feminidad. Él la amaba con un odio culposo, y ese sentimiento fue lo que cada noche durante el último otoño, le hablaba al oído haciéndolo sentir el peor de los hijos. El deseo de sentirse amado por su padre lo llevaba a buscarlo entre sus profesores, sus compañeros, el jardinero... Su cuerpo de piel pálida temblaba ante las caricias de las manos callosas. Fue en la tarde del 30 de noviembre cuando ella los vio en el cobertizo del jardín. Su carrera precipitada hacia la casa, la voz de la madre gritando enajenada maldiciones e improperios. El cinto de la bata de baño, el tubo de la regadera, el silencioso crujir del cuello al balancearse. Días después, ella amaneció pensando en coserse la boca. (**L. H. M.**)

No. No es que la pereza le ganara la partida. Fue la misma vida quien se encargó de una tarea que ella no se había molestado en percibir, y esa vida merecía un escarmiento. Había estado ciega, sin querer mirar lo que sus ojos veían. Ella simplemente palpaba al bebé y, sin mirarlo siquiera, sus manos le decían: es un varón. Sus manos cosían pantalones y no faldas. Sus manos planchaban camisas de cuello y no blusitas. Sus manos fueron las que pusieron en el lavabo las primeras cuchillas de afeitar y el agua de colonia de hombre. Pero sus ojos… Ahora se daba cuenta de que, desde que sus manos palparon las ingles del bebé que había traído al mundo, un costurón torcido había cosido sus ojos, para impedirle ver más allá de lo que sus dedos tocaban. La vida, esa vida que ponía rastros azulados en sus muñecas, había echado un pespunte sobre sus párpados. Y cuando aquel 30 de Noviembre vio borrosamente lo que sucedía en el cobertizo, no pudo silenciar aquella boca insultante que le gritó al hijo haciéndole saber que la única persona que realmente lo amaba en el mundo, ahora lo detestaba.

Esa mañana cuando, al despertarse con las costuras de los labios descosidas por la fuerza del recuerdo del hijo —y con sus dientes clavados en la muñeca izquierda como penitencia por seguir latiendo bajo su boca ávida de muerte—, reconoció el salobre de la sangre en los labios, en la lengua, en su paladar; corrió al cuarto de baño para intentar lavar su rostro y devolverle la inocencia; pero, inmediatamente, se dio cuenta de que no podía hacerlo porque sus ojos no le dejaban ver dónde tenía que aplicarse al aseo.

¡Eran sus ojos los que siempre habían estado cerrados! Por eso se le desmandó la boca y el decir contra su hijo. ¡Por eso…!

Con sumo cuidado, como si aquellos ojos cosidos fueran los del hijo antes de entregarlo a la Muerte, los fue descosiendo poco a poco con la mano izquierda, la que utilizó durante tanto tiempo para expresar caricias sin destino; y cuando finalmente estuvo segura de poder ver, dirigió los ojos recién estrenados hacia la última página en blanco de su cuaderno y, con la mano derecha, escribió:

"Por fin puedo verte, niño querido mío, y amarte como eras; no como yo te obligué a ser…"

No pudo terminar. La vida dejó caer la última gota de sangre desde su boca, y se emborronó lo escrito, tiñendo de rojo lo que estaba aún por escribir. (**s. m. b.**)

12

FELIPE Y FABIOLA

Relato con inicio y desenlace escritos por Juan Revelo Revelo.

Cada vez que Felipe Castañeda abría la puerta ᴅe su casa después de llegar del trabajo, sentía un temor incontrolable, un fluir de algo anormal en el ambiente, un humor azaroso que se vaporizaba en todas partes, especialmente en la sala y en las habitaciones. La primera vez en experimentar esa sensación turbia y difícil, fue al cumplirse una semana de la muerte de su esposa, Fabiola García, en circunstancias extrañas. En esa ocasión, sentado frente al escritorio, en su estudio lleno de libros y revistas, notó que le faltaba el aire. Ocurrió en el momento en que archivaba, en una carpeta, el certificado expedido por el Instituto de Medicina Legal después de practicar la autopsia a Fabiola. Leyó el documento con mucho cuidado antes de guardarlo: "En la base del estómago y en la flexura del duodeno de la occisa, se encontraron abundantes residuos de alcohol y barbitúricos". **(J. R. R.)**

El informe lo tranquilizaba de alguna manera pero no era suficiente para armar en su cabeza una forma que lo consolara, o al menos justificara esos grandes espacios en blanco que persistían junto al dolor insoportable que atenazaba, en riguroso turno semanal, sus sienes.

Creía que Fabiola lo había amado de una manera desesperada. Una especie de enredadera que, alimentada en besos y caricias, había subido por las piernas y por el torso… hasta casi ahogarlo. Resultó inútil su afán por normalizar la relación. Ella arrasaba cualquier vestigio de sensatez y lo tomaba como una amenaza de ruptura. En ese caos se deslizaron los meses y la convivencia había oscilado entre días espléndidos y tormentosas jornadas de peleas.

La policía no creía que hubiese sido un suicidio. Aún con el informe, insistía en que era una escena de crimen lo que encontraron en la casa. Felipe había puesto una excusa débil en el interrogatorio. Él mismo dudaba de su participación. Esos agujeros blancos en su memoria... Ese espacio vacío donde no podía ponerse él, ni ella. Pero la había amado. La amaba aun en la crueldad de la muerte. Ahora se preguntaba si esa sensación, ese humor inefable que percibía al entrar en su casa, tenía que ver con Fabiola. Tal vez ella intentaba ayudarlo, en otro plano, a descubrir la verdad. (**m. v.**)

¿Dejó Fabiola García indicios o huellas para comenzar a dibujar hipótesis en el centro enigmático de la memoria de Felipe que lo condujeran a descifrar lo acontecido, aclarando lo que se leía en el certificado de Medicina Legal?

Una madrugada, Felipe creyó percibir una imagen fantasmagórica, fugaz, tal vez un leve recuerdo producto del sueño recurrente de noches en duermevela y agotamiento. Imagen extrañamente advocatoria, que podría culpabilizarlo de lo sucedido, o por el contrario, liberarlo: Fabiola leía una carta; su rostro había palidecido, y lágrimas abundantes dejaban surcos violetas al descender hacia su mentón. Giró entonces la cabeza y lo miró, pero las cuencas de sus ojos estaban vacías. Felipe se levantó precipitadamente y se dirigió al estudio, horrorizado. Ahí había advertido por primera vez la falta de aire al archivar el documento de Medicina Legal. Ahora sentía de nuevo una dolorosa opresión en el pecho.

Al entrar al estudio, encontró desparramados, aquí y allá, libros y revistas. La papelera, de pronto, se incendió, y un humo espeso, en espiral, ocupó todo el espacio. Felipe, asfixiado, como si una mortífera enredadera le subiera por las piernas y el torso, pensó que moriría. (**c. v. z.**)

Pero logró alcanzar la manta que solía usar en el escritorio para cubrir sus piernas mientras trabajaba en noches frías. Echó agua sobre aquel desaguisado y consiguió frenar lo que bien pudiera haber derivado en un incendio irreparable.

Al recoger del suelo los papeles semi quemados, descubrió una carta, escrita de su puño y letra, que no recordaba haber escrito jamás. Estaba dirigida a Fabiola; la fecha no se podía ver, coincidía justo con la esquina a la que había alcanzado el fuego. ¿Y qué decía aquella carta? Comenzó a leerla, pero siguió sonándole tan extraña como si otro "yo" la hubiese escrito por él, usurpando su mente. Se echó las manos a la cabeza y le vino una evocación que lo dejó sin aliento. Recordó aquello que contaban sobre su abuelo paterno, enfermo de bipolaridad aguda. Él no llegó a conocerlo, ni nunca su padre le habló del asunto, pero en aquel lugar —que no era demasiado grande—, la gente se conocía y hablaba más de la cuenta. Al parecer, su antepasado llegaba a tal extremo de delirio, que una de sus personalidades se disociaba tanto de la otra que no era consciente ésta de lo que aquella hiciera. La sensación de falta de aire se acrecentó en Felipe hasta no permitirle respirar, y la carta se le cayó de las manos antes de que lograra salir del estudio, casi asfixiado. (**A. F.**)

La habitación permanecía tal y como la había dejado Fabiola el día de su muerte. Felipe evitaba entrar porque el solo hecho de abrir la puerta, lo enfrentaba a ésa recamara donde los muebles parecían tener ojos como los de ella, ojos vacíos de mirada perdida que penetraban en los suyos como astillas de hielo. Esos objetos lo veían con actitud de testigos condenatorios. La fotografía de Fabiola en el portarretratos exponía el rostro de una mujer feliz. Él la había tomado en las últimas vacaciones en la playa, —se veía tan hermosa en su vestido azul—. Nunca olvidaría el coqueto movimiento de su cuerpo y el cabello iridiscente movido por la brisa. La amaba, pero ella siempre se reía de sus reclamos de amor esquivándolo, como si le diera repulsión el que la tocara; sin embargo, había momentos en que Fabiola lo seducía con una fogosidad avasallante que Felipe no conseguía satisfacer y era cuando ella se quedaba quieta, viendo hacia el techo con la mirada perdida; después cerraba los ojos y una sonrisa iluminaba su rostro como si algún recuerdo la consolara. Esos instantes eran los que más aborrecía Felipe, ese silencio irónico y acusatorio lo hacían sentir un imbécil. Él la observaba en su reposo lejano, y el deseo de colocar sus manos sobre el cuello era obsesivo. El mito del orgasmo cósmico en el momento de la asfixia le daba vueltas en la cabeza. Felipe recreaba en su imaginación la dulce entrega de la muerte en el instante del clímax. ¡Qué delicia percibir entre sus dedos escapar el aliento de vida! Lo hacía sentir poderoso, mientras Fabiola, ajena a los pensamientos de Felipe, le daba la espalda para dormir plácidamente. (**L. H. M.**)

No hay nada más lúgubre, más largo y más lúcido que las noches en la cárcel. Desde su jergón, los ojos de Felipe Castañeda recorrían las escasas dimensiones del lugar, el camastro enmohecido, las paredes desconchadas en las que la claridad de aquella noche de luna llena dejaba turbadores relieves animados, el ventanuco de la celda en la que lo recluyeron bajo la acusación de haber dado muerte a su esposa Fabiola García.

Inesperadamente, alguna nube debió interponerse frente a la luna, dibujando en la pared una sombra que tuvo la virtud de agredirlo con una sucesión de recuerdos inquietantes. De pronto, sintió que su mente era asaltada por imágenes en las que se relevaban con inusitada rapidez la presencia de acontecimientos que llenaban de sentido su más inmediato pasado. Deseó imaginar que por fin desaparecían aquellos agujeros en blanco de su memoria que tan intensamente lo atormentaban y lo confundían. Entre las percepciones que iban surgiendo con vida propia, vio dibujarse en su evocación la figura de Fabiola, en un trance que nunca supo con seguridad si había sido un simple sueño o una alucinación, cuando, días después de haber muerto, la divisó espectral, con las cuencas de sus ojos vacías, y absolutamente sobria, en lugar de estar borracha, como con frecuencia solía encontrarla cuando él llegaba del trabajo. Estaba sentada, leyendo una carta que después de su lectura rompió en varios pedazos.

A la incierta luz de la luna, las visiones se sucedían como pautados fotogramas de una película. Ahora se veía a sí mismo dirigiéndose al estudio, para contemplar cómo, de improviso, se incendiaba la papelera sin razón aparente que lo justificara, obligándolo a tener que rescatar un carta manuscrita que no estaba seguro de haber redactado, pero que, al reconocer en ella su caligrafía, sintió la necesidad compulsiva de leer, al mismo tiempo en que tomaba conciencia de que aquel sorprendente incendio había sido aviesamente provocado por el otro Felipe, su "otro yo", el que le predisponía contra aquella mujer a la que amaba más allá de la locura. En esa carta le confesaba a Fabiola que ese día, le habían diagnosticado la misma enfermedad que tuvo su abuelo: bipolaridad aguda, cuya gravedad pudiera llevarlo a tal extremo de delirio, que su personalidad se disociara en dos, absolutamente ajenas, de forma que la una no pudiera ser consciente de lo que la otra pensara o hiciera.

Nuevamente miró hacia el ventanuco de la celda, ahora completamente oscura, y vio que la luna había desaparecido detrás de espesos nubarrones. Recordó que, al final de la carta, había escrito que él sufría intensamente desde el momento en que empezó a sospechar que ella le era infiel, porque, a pesar de todo, la seguía amando. Pero… ¿cuál de los dos era el que sufría de aquella manera desgarrada, y cuál el que se deleitaba pensándola muerta? —se preguntó acuciado por un iracundo rencor que, inmediatamente, casi por sorpresa, se tornó en una devastadora amargura, la cual se le fue deslizando garganta abajo, obligándolo a dejarse caer en el jergón sobre el que lloró durante amargas horas, hasta la madrugada, cuando una luz miserable llenó la celda de una fastidiosa pestilencia de rabia y desesperación. (**s. m. b.**)

Al mediodía, el abogado que Felipe contrató para que lo defendiera, fue a visitarlo a la cárcel, y llegó con la cara radiante. Le extendió la mano y lo saludó con inusual alegría. Felipe, con rostro somnoliento y con expresión de extrañeza, le preguntó cuál era el motivo de su estado de ánimo. El abogado le comentó que un prestigioso médico neurólogo y psiquiatra, se había presentado a declarar sobre las perturbaciones de su paciente Fabiola García, y que había llevado pruebas médicas que indicaban que era epiléptica y esquizofrénica, con graves trastornos cognitivos y tendencias suicidas, y que también había declarado que estaba bajo tratamiento con barbitúricos (idénticos a los que encontraron los médicos forenses en la autopsia).

"Estas pruebas —dijo el abogado—, servirán para demostrar que usted es inocente y que su esposa, sumida en un estado de crisis profunda, cometió suicidio. Sin embargo —agregó—, la Fiscalía continúa afirmando que usted es el principal sospechoso porque fue la única persona que se encontraba en la casa en el momento de la muerte de ella, y además, porque la Policía halló en su estudio, un certificado médico que indica que usted padece de bipolaridad con alteración del estado de ánimo y con abruptas fluctuaciones en episodios de irascibilidad, ansiedad y depresión. Pero no se preocupe, ante estas evidencias que aparentemente van contra usted —dijo el abogado—, ya empecé a preparar una sólida defensa que se la explicaré en mi próxima visita".

Al quedar solo en la celda, Felipe se sintió nervioso y confundido y trató de recordar lo que sucedió el día de la muerte de Fabiola. No estaba seguro, pero recordó que serían las siete de la noche cuando, al llegar del trabajo, abrió la puerta de su casa y la vio, como en otras ocasiones, borracha, con un vaso de *whisky* en la mano, sentada en la sala y con varios frascos de pastillas sobre el sofá. También recordó que esa tarde, él había recibido el informe del detective que contrató para que la vigilara, en el que se confirmaban sus sospechas sobre la infidelidad de ella. El detective le había asegurado que Fabiola tenía un amante con quien se veía a escondidas, mientras él estaba en el trabajo.

Rememoró, en medio de la bruma de sus recuerdos, que en ese instante sintió esa falta de aire que experimentaba en los instantes de crisis emocional, y que fue mayor cuando vio que Fabiola lo miraba con un gesto de desprecio y fastidio mientras seguía bebiendo. Lleno de celos y dolor, le había hecho el reclamo increpándola por su infidelidad y por la actitud despectiva que con frecuencia tenía hacia él, especialmente durante las relaciones íntimas, cuando ella se ponía a mirar el techo como si estuviera imaginando que estaba con otro.

Fabiola, ebria y con el rostro desencajado, se había reído sarcásticamente al escuchar sus reclamos, mostrando la misma expresión de ironía que utilizaba en los momentos de intimidad, y que Felipe odiaba hasta el límite de la desesperación, y le producía un rabioso deseo de verla muerta. Después no recordaba nada más. Una cortina de amnesia cubría las escenas posteriores a ese instante perturbador.

Más tarde, casi en la madrugada, en medio del olor nauseabundo de la celda, Felipe despertó después de un corto sueño, y con él despertaron los últimos recuerdos de aquella noche trágica: se vio a sí mismo llamando por teléfono a una ambulancia que llegó dos horas después. Recordó que en el hospital, los médicos que examinaron a Fabiola confirmaron que estaba muerta (la autopsia revelaría la presencia de alcohol y abundantes barbitúricos en su estómago); y recordó también que en ese preciso momento empezó a girar en su cerebro la duda más espantosa: aquella sobredosis de barbitúricos ¿se la dio él, diluida en el vaso de *whisky* cuando Fabiola ingresó al baño, o fue ella quien se los tomó mientras él estuvo, unos minutos, en el estudio? Al pensar en esto —con las manos temblorosas agarradas a los barrotes de la prisión—, Felipe sintió un temor incontrolable, un fluir de algo anormal en el ambiente, un humor azaroso y frío que se vaporizaba en los pasillos de la cárcel, igual al que había percibido el día que leyó por última vez el informe del Instituto de Medicina Legal; y ahora, a pesar de tener la posibilidad de ser declarado inocente, quedó más confundido que nunca, presintiendo que ya no tendría reposo ni tranquilidad en el resto de su vida, porque el último secreto, el de la muerte de Fabiola, ella se lo había llevado a la tumba. (**J. R. R.**)

13

DADOS CIRCULARES

Relato con inicio y desenlace escritos por
Carlos Vásquez-Zawadzki.

La mano se cierra suave y liviana, mientras la mirada atenta de los presentes alucina. Nuestros sentidos —voces y silencios, hielo en las rocas, *whisky* y sorbos repetidos—, perciben un castañear ligero pero extraño. Se agita ahora el par de dados en marfil, multiplicando en ese humano laberinto de la mano, voces sagradas y enigmáticas —todos las reconocemos y nos estremecen con esas cuadraturas de lo desconocido—, y son lanzados con fuerza sobre la mesa de juego. Es rápido su rodar apagado sobre el paño verde. Los corazones, en cerrazón, monologan desafiantes: "Ganaremos y seremos inmensamente ricos". Finalmente, los dados impactan el duro fondo de madera y se detienen para ser leídos por multitud de ojos retadores.

Una voz exclama entusiasmada: ¡siete! ¡siete! y todos aplaudimos la cifra mágica de la extrema suerte. El jugador profiere entonces en voz alta: "Esta noche de los presentes es la mía", y desplazando su mirada, cierra una frase venturosa: "Hoy es mi día y quiero compartir mi fortuna con ustedes, mis amigos".

De pronto, suena un disparo a quema ropa, y el rostro vociglero del apostador se congela en pupilas horrorizadas. Él es ahora máscara y cercanía de la desaparición al doblarse inerte sobre la mesa de juego del Casino. Los demás, sorprendidos, sólo somos silencio y confusión.

(C. V. Z.)

La sala parece sostener un suspenso en el aire. Tal vez ha sido solo una fracción de segundos en que los dados en precario equilibrio han vuelto sus caras de marfil hasta marcar, cuatro y tres. El apostador había hecho su última tirada y había cumplido la promesa de fortuna.

Un grito exagerado de mujer rompe el sortilegio. Entonces y solo entonces, se desata una especie de maremoto. El *croupier*, levanta la cabeza del hombre y comprueba que está muerto, aunque a la distancia podría suponerse que, antes de morir, alcanzó a murmurar algo. El público mira por un momento los rostros vecinos. Hay una búsqueda infructuosa del arma y del homicida.

La mujer, vestida de rojo, rozando con su cadera el borde de la mesa, dice: "Él me contó… Creí que era una broma. Él sabía que por siete veces obtendría el número 7". El *croupier* con voz vacía de encantos y de emociones, agrega: "Ésta era su séptima jugada ganadora. No me explico". Cruza el palo de juego final sobre los dados inmóviles; y todos tratan de dilucidar si ese "no me explico", está referido a la muerte del hombre, o a las múltiples apuestas y al enigmático número 7, o tal vez, y esto es aún más intrigante, a las posibles palabras dichas agónicamente por el apostador.

Nadie parece conocerlo. Sí lo han visto esa noche esgrimir con gestos exagerados la buena racha, han escuchado la palabra "amigos", en forma tan general que bien se podría aplicar a cualquiera de ellos o a ninguno. La mujer de rojo y peluca rubia, aclaró que la casualidad la había llevado a compartir una copa con el jugador. Pero lo más rotundo estaba allí, por un lado una inmensa cantidad de dinero ganado; por el otro, un disparo mortal sin asesino. Los nervios comenzaron a dominarlos. Podía ser cualquiera de ellos o ninguno. ¿Habría escapado? ¿Estaría todavía entre los presentes? (**m. v.**)

"Él me contó… Él sabía que…" —repite la mujer como un susurro, como un mantra, mientras hace girar en círculos una y otra vez con su mano izquierda el aro brillante que lleva en el dedo anular de la derecha—. "Siete veces el número 7" —y es como si sólo se percibiera el silbo del seseo al repetir, casi de forma sinuosa, el número mágico y letal del juego—. Y ahora deja de mover sus manos y de marear el anillo para acercar lentamente la copa de vino a sus labios, sin mirar, a tientas, con la vista perdida, rozando, en la elipse que dibuja el brazo, la tela color fuego del escotado vestido: "Él me contó… Él sabía…". Una copa por casualidad…

Por fin, la mujer sacude la cabellera enérgicamente, centra la mirada y deja la copa sobre la mesa. El líquido se derrama por el impulso del golpe. La sangre se derrama por el suelo desde el costado del —hasta hace tan sólo un momento— afortunado jugador. De pronto, la mujer emite un grito que perfora la sala del Casino: "¡Es él, es él…, allí está el asesino!" —y apunta con el dedo índice hacia la puerta de salida. Todo el mundo gira la mirada hacia el lugar señalado. Corren, gritan…, el caos se apodera y la mujer de rojo se diluye. (**A. F.**)

—Jefe, ésa es —y señaló hacia donde estaba la mujer vestida de rojo—. Ella dice que vio al asesino escapar.

El jefe de detectives Manuel Gómez —apodado "el poca luz" porque había perdido visión en un ojo en acción policiaca—, miró a su alrededor. El cuerpo del occiso permanecía caído de bruces sobre el tapete de paño de la mesa de juego; el *croupier* era interrogado por un policía, y la mujer de rojo, recostada en un diván —con un aparente ataque de asma—, recibía atención de un paramédico. Lo habían despertado en plena madrugada para que fuera al *Casino Winland* a verificar la muerte de Lookie Pérez, un jugador de dados famoso por sus rachas de buena fortuna asociadas al número 7.

"Tenía pacto con el diablo" —comentaban algunos de los presentes—. "No era normal tanta suerte. Fue el mismo diablo quien lo mató. Vino a cobrar su alma". El jefe de detectives dirigió su corpulenta anatomía hacia la presunta testigo. Al verlo acercarse, ella simuló dificultad para respirar. Él se percató del ardid pero fingió creerlo. Solicitó a una empleada del casino traer un vaso con agua.

—Soy el detective Gómez, y estoy a cargo de este asunto. Mi colega dice que usted conocía al occiso, y que además vio al asesino, ¿puede hablarme sobre su relación con él y darme una descripción del que supone es el autor del crimen?

La mujer entornó los párpados enmarcados por pestañas francesas, aclaró la garganta y dijo:

—Sólo fue una copa.

—¿Perdón...?

—No lo conocía. Cuando él llegó al Casino me invitó a tomar una copa, me dijo que sería su talismán de buena suerte y prometió compartir las ganancias conmigo. Supongo que esa promesa es como un testamento. Lo digo por el dinero... son casi dos cientos mil dólares. No es que sea insensible, fue su última voluntad.

El detective Gómez la observaba mientras ella decía cadenciosamente las palabras moviendo el anillo de su dedo anular derecho. Esa mujer le recordaba a la protagonista del caso de la "Esfinge", una asesina en serie que ejecutaba proxenetas en los años ochenta.

Lookie Pérez había sido muerto por una bala de calibre pequeño disparada a quemarropa. El proyectil penetró por el pulmón izquierdo a la altura del corazón. Fue un trabajo limpio.

—¿Es casada?

—No. ¿Lo dice por el anillo? Es un recuerdo de familia.

—Y sobre el hombre que vio huir ¿Qué puede decirme?

—No estoy segura, me pareció verlo detrás y a la derecha de Lookie cuando jugaba, era más alto que él y vestía de negro. Yo estaba del lado izquierdo para soplar sobre los dados. Lookie me dijo que no le gustaba que se colocaran a su derecha para que no le estorbaran el movimiento del brazo.

—Estando tan próxima al occiso, ¿escuchó algo antes de que éste cayera sobre la mesa de juego?

—No. Todos estábamos gritando porque había logrado un siete, siete veces. Nos dimos cuenta de lo sucedido cuando lo vimos caer. Yo miré, en ese momento, hacia la puerta y vi al hombre de negro salir corriendo. Por eso grité señalándolo.

La mujer de rojo y peluca rubia, miró directo a los ojos al detective: "¿Algo más en lo que pueda ayudar?" Gómez movió la cabeza negativamente. "Estoy cansada, quiero ir a mi casa" —dijo poniéndose de pie—. El cuerpo seductor vestido de fuego, desapareció por la puerta del casino. La imagen quedó prendida en la única pupila funcional del detective "el poca luz". (**L. H. M.**)

Ernestina Cabreras, refugiada en la penumbra de su casa, trataba de recordar las últimas horas tan extrañamente vividas. Como en una sucesión de fotogramas, vio los ojos del *croupier* y los de su marido Lookie Pérez alzarse hacia ella, justamente una milésima de segundo después de que el primero le levantara la cabeza a Lookie; y pudo ver dibujada en los de su marido la misma perplejidad que expresaba el *croupier*, en voz lo suficientemente alta como para ser oída por todos, a pesar de su tono neutro y sin inflexiones: "No me explico…". Justamente, en ese momento, Ernestina tomó conciencia de su absurda vestimenta. Definitivamente, el oscuro traje de boda de Lookie no había sido su mejor elección para disfrazarse. ¡Y aquella mujerzuela haciendo girar en su dedo anular el "anillo de la suerte" que su marido le había mandado hacer en la mejor joyería de la ciudad, y que sin duda reconocería como pieza única que era! Aquella mujerzuela con su vestido rojo, y con el carmín corrido hacia el lado derecho de su cara, como si los besuqueos del infiel Lookie le hubieran agrandado la boca hasta convertírsela en una asquerosa actinia, esa anémona viscosa que ella abominaba… Sí, aquella mujerzuela gritando mientras advertía a los demás de la presencia de ella, como si así pudiera limpiar su sucia alma de todo lo que había hecho.

"¡Es él, es él… allí está el asesino!", —había dicho—. Menos mal que la puerta de salida estaba a un paso lo que, unido a su atuendo, impidió que nadie pudiera darse cuenta de que no era un hombre sino una mujer.

Nadie, a excepción de Lookie, en cuyos labios leyó un último mensaje sólo conocido por ella, aunque quizá, el *croupier*, pudiera haber oído su nombre por la forma que tuvo de ir separando las sílabas con todo cuidado, como si supiera que la vida se le escaparía con la última sílaba: "los dados del siete son pitagóricos y circulares. No lo olvides Er-nes-ti-na".

Ahora, mientras ella estaba encerrada en su casa, y allí decidía su destino barajando setenta veces siete las cartas del Tarot, y eludiendo la redondez de la *Rueda de la Fortuna*, el detective Gómez, tuerto y cejijunto, recorría a grandes zancadas su despacho llenándolo de improperios, tan raros en su lenguaje habitual como profusos cuando se trataba de encontrar la clave de un caso sin resolver.

—¡Joder! Si el disparo le alcanzó desde la izquierda, y la persona desaparecida misteriosamente fue localizada a su derecha, ¿quién coño disparó…? Porque, de lo que estoy seguro es que el disparo partió desde… y fue a quemarropa… ¡Eso es! Ahora ya sé quién disparó. ¡Cómo no se me había ocurrido antes!

El tartajeo confuso y entrecortado del *walkie-talkie* lo arrancan de sus toscas cavilaciones. Reconoce la voz del agente que se quedó vigilando la casa del fallecido y le urge hablar:

—Diez-noventa y tres, diez-noventa y tres; aquí puesto-guía. Verifique su frecuencia. Cambio.

—Aquí vigilancia-dos, aquí vigilancia-dos… ¿me escucha? Cambio.

—Le escucho, vigilancia-dos. Reporte novedades. ¿Las hay?

—¡Afirmativo, puesto-guía! La paloma ha volado.

—¡Quéeeeee! ¿Se le ha escabullido por las buenas, pedazo de hijo de…?

—¡No, puesto-guía! —corta un sumiso *walkie-talkie*, que a Gómez le suena burlón sin saber por qué—. ¡Ha volado desde la ventana del piso de arriba, y se ha despanzurrado contra el suelo como un sapo!, —suena el *walkie-talkie* dibujando una imagen insoportablemente vulgar. (**s. m. b.**)

—¿Qué dices…?

—Pues eso, jefe… que una mujer ha caído desde la ventana y ha quedado boca abajo, con un hilo de sangre saliéndole de la boca. ¿Qué hago ahora…? ¿Entro a la casa o me quedo afuera hasta que lleguen refuerzos? ¡Cambio!

El jefe de detectives ordena que tres agentes vayan al lugar de los hechos para acordonar la calle donde está situada la casa y así evitar que alguien se acerque y destruya alguna prueba. Solicita también que informen al Juzgado más cercano para que, junto a un médico forense, hagan el levantamiento del cadáver; después, enciende un cigarrillo, le dice a Marlene, su asistente, que lo acompañe y, los dos, salen presurosos.

Primero, dirige su automóvil hacia el *Casino Winland*; ahí interroga nuevamente al *croupier*; le pide a Marlene que tome varias fotografías del lugar y se acerca a la mesa de juego donde quedó el cuerpo de Lookie; después le solicita al *croupier* que se coloque exactamente en el lugar donde él se encontraba en el momento del disparo, y al verlo moverse, nota que es de baja estatura. Le pregunta si alcanzó a oír algo antes de que el jugador muriera, y éste le dice que no. El detective cejijunto lo mira fijamente con su único ojo bueno, y nota que está nervioso. "En los próximos días —le dice con gesto autoritario—, debe estar atento porque podemos llamarlo para cualquier diligencia". Sale a la calle, sube al automóvil con su asistente, y se dirige a la casa en donde vivieron Lookie y su esposa.

Cuando llegan al lugar, ven al médico forense y a sus ayudantes cerca al cuerpo de la mujer que yace en el piso y que han identificado como Ernestina Cabreras. El detective Gómez observa que es delgada y alta, no tiene ningún maquillaje, su cabello es corto y está vestida con un traje de hombre de color negro. Marlene toma fotos de la mujer enfocando el rostro y los detalles de la ropa que lleva puesta. El detective piensa: "Es la persona que la mujer de rojo dice vio disparar el arma y después la vio huir". Pide que le practiquen la prueba de parafina y mientras un auxiliar se dedica a esta tarea, ingresa a la casa.

Al entrar a la sala queda sorprendido. En una mesa llena de cartas del Tarot, bolas de cristal, copas de sahumerios y una docena de talismanes, ve una pequeña pistola *Glock Compact* de color negro, y al lado de ésta, un silenciador. Saca de uno de los bolsillos de la chaqueta unos guantes de látex; se los pone, toma el arma y el silenciador con cuidado, y los introduce en una bolsa plástica. "Ésta puede ser el arma asesina" —reflexiona—, y escribe sobre la bolsa con un rotulador negro: "para dactiloscopia". Se sienta en un sillón, observa el entorno de la sala; duda sobre la intuición que tuvo hace unas horas sobre quien disparó el arma homicida, y en ese momento, cinco preguntas empiezan a girar en su cerebro con buen pronóstico de que las respuestas sirvan para resolver definitivamente el misterio de las muertes del jugador Lookie y de su esposa Ernestina:

Primera, ¿qué hacía esta mujer en el casino disfrazada de hombre? Segunda, ¿fue ella quien disparó la bala mortal o fue otra persona quien lo hizo? Tercera, ¿la muerte de Ernestina Cabreras fue un suicidio por sentirse culpable y arrepentida de la muerte de Lookie Pérez, o fue un asesinato? Cuarta, si ella no se suicidó, entonces... ¿quién le quitó la vida? Quinta, ¿qué relación existía entre Ernestina y el *croupier*, y entre Lookie y la mujer de rojo y peluca rubia?

Cuando el detective Gómez llegó a su casa, cansado y con sed, recordó que, ese día, él estaba cumpliendo 52 años. Abrió el refrigerador y se sirvió una cerveza helada. Sintió la soledad en la que vivía con una precariedad enorme, pero no se inmutó. Ya estaba acostumbrado a ella. Encendió el computador y escribió la palabra "soledad" como queriendo exorcizarla. Contó las letras despacio, una a una, para no equivocarse. De la "s" a la "d" contó siete letras. "Otra vez el número

7" —pensó intrigado y no supo si debía relacionarlo con la buena o la mala suerte del apostador—. Recordó que le preguntó a la mujer de rojo cuál había sido la última jugada ganadora que hizo Lookie, pero no pudo precisar si ella contestó que los dados habían girado en círculo hasta caer con el 6 y 1 hacia arriba (*"El número 6 —pensó—, es de felicidad y prosperidad, según la numerología, y el 1, es el de los ánimos encendidos y de la lucha de egos"*); ¿o quizá cayeron con el 4 y el 3, o con el 5 y el 2 de su cumpleaños…? Entonces creyó conveniente determinar este detalle volviendo a interrogar a la misteriosa dama de rojo y también al *croupier*; y sin dudarlo ni un instante, como si una fuerza extraña lo empujara sin remedio a la solución del caso, tomó la decisión de pedir, a primera hora del día siguiente, una prueba con el polígrafo para los dos principales sospechosos del asesinato. Se rascó la cabeza, y malhumorado dijo para sí: "Lástima que Ernestina Cabreras, que es la tercera sospechosa, esté muerta, pero no queda descartada. Seguiré investigando". (**J. R. R.**)

Gómez se despertaría a las 5:00 de la mañana, preguntándose: ¿Los dados con los que el apostador Lookie Pérez había echado siete veces siete, rodándolos en su equívoca fortuna pero produciéndole doscientos mil dólares, estarían cargados? Sospechoso el *croupier*, ¿qué papel representaba este sujeto en el drama, en relación con la misteriosa mujer de rojo, y con Ernestina? Y por último: entre los presentes en el Casino, supuestamente alucinados por el juego ganador de Lookie, ¿quién más habría podido intervenir en el crimen?

Fue una hora más tarde, rasurándose cuidadosamente, guiado por su acucioso ojo derecho, cuando confirmó su intuición sobre los autores del crimen, formulando una conjetura que partía del mismo Lookie y del *croupier*: una imagen que cubría a varios de los presentes de esa fatídica noche, incluidas Ernestina y la mujer de rojo.

Marcó repetidas veces su celular, y dio órdenes precisas. Tomó una ducha tibia y se vistió con su mejor traje —aquel gris oscuro que se calaba los días en que tenía resuelto el enigma de un crimen—, camisa blanca y corbata amarilla de puntos negros; después, salió de su apartamento con una sonrisa inescrutable, dando un portazo.

La casa de Lookie y Ernestina se encontraba silenciosa y sombría, pese a la creciente luz matinal. La mesa de las cartas estaba intacta. Allí, con Marlene, su asistente y fotógrafa, y también experta lectora de cartas del Tarot, y mundos extrasensoriales, se acercó una vez más a *el Loco, a la Rueda de la Fortuna, al Emperador, al Diablo* con sus tenazas de auto-castigo y destrucción, colocadas en primera línea horizontal. Y más abajo, en segunda secuencia, *la Sacerdotisa*, entre *la Muerte y los Enamorados*. Marlene leyó la tragedia que había ocurrido y que desembocó en dos muertes brutales, enlazadas en un mismo destino:

—La Sacerdotisa es determinante —dice Marlene—. Sus prendas de vestir de color rojo evocan la sangre derramada, sangre que une dos pares de manos criminales, femeninas las unas, masculinas las otras. El anillo con la efigie egipcia es símbolo del culto de la muerte y de la ambición. *El Emperador invertido* lo es de la venganza múltiple y de los obstáculos a lo planeado; *el Diablo*, la autodestrucción de todos, y vistiendo sus hábitos, *la Muerte*, disfrazada de mujer.

Ya en su despacho de investigador, Gómez, "el poca luz", compulsó los resultados de las pruebas del guantelete de parafina y del polígrafo. En el primer caso, si bien Ernestina había disparado, lo había hecho con balas de salva y con silenciador creyendo que eran balas de verdad. En el segundo caso, la mujer de rojo y el *croupier* habían mentido y ocultado verdades determinantes.

Dos de los hombres de confianza del detective aparecieron con la dama y el *croupier*, atados con esposas. Gómez se disparó con palabras claras, sopesadas una a una, argumentando su intuición de las primeras horas de la mañana:

—Como amante de Lookie Pérez —dijo el detective a la dama enfurecida y hermosa—, usted conocía al dedillo la vida del jugador compulsivo. Como pitonisa o sacerdotisa sabía la suerte de las cartas echadas por Ernestina días antes de ir al Casino: el *Emperador invertido, el Diablo, los Enamorados*. En tanto como integrante de un triángulo amoroso, acordó la fortuna de Lookie con el *croupier*, marcando los dados para que el siete se reiterara siete veces seguidas y recogiera doscientos mil dólares. Sostenía con Lookie y con el *croupier* una relación amorosa sin que los dos sospecharan, el uno del otro. Ya volveré sobre esto, más adelante.

Se detuvo un momento, y con ironía se dirigió al *croupier*:

—Usted, hombre de confianza de los propietarios y administradores del Casino, en el remolino de los vítores exaltados con los siete golpes de suerte del apostador —concebidos por su amante vestida de rojo, y programados por usted—, le disparó a Lookie con un arma de bajo calibre. La prueba de la parafina lo condena. Ya nos dirá usted dónde arrojó el arma asesina, una pistola *Glock Compact,* como la de Ernestina Cabreras que encontramos en la sala de la casa. Todas las miradas de la noche estaban centradas en el último golpe de dados, detenidos en la lectura del cuatro y del tres. Los ojos del moribundo Lookie buscaron los de Ernestina. Ella había disparado, al mismo tiempo, a Lookie y a la ambiciosa mujer, amante de su marido, quien se beneficiaría con la fortuna obtenida en el juego, pero no los hirió porque las balas —detalle que Ernestina no conocía—, eran de salva.

De nuevo hizo una pausa estudiada, ajustó el nudo de la corbata amarilla y volvió a dirigirse a la mujer "hermosa y salvaje, ciega por la ambición, mas no por la pasión", pensó para sí mismo.

—Señorita, dijo, deteniendo su único y perspicaz ojo vivo en el sonrojado rostro de ella: usted sabía del disfraz con traje de hombre y de la visita de Ernestina Cabreras, al Casino. Después la acusó públicamente de ser la asesina. Y más tarde, la siguió a su casa —en el Casino, Ernestina no descubrió, bajo su disfraz de dama rubia vestida de rojo, a la pitonisa a quien consultaba ocasionalmente en la lectura de las cartas del Tarot—, y quien le descifró y señaló el camino de su venganza por las infidelidades reiteradas de Lookie con varias mujeres. Y con una copia de las llaves, tomadas del bolsillo del saco de él, entró a los aposentos de la ahora finada pareja de esposos. Usted la empujaría desde la torre de sus encierros pensando que todos creeríamos que se trató de un suicidio. Ernestina murió creyendo que había asesinado a Lookie Pérez y que falló su puntería al dispararle a usted en un arranque de ira, cuando descubrió que era una de las amantes de su marido, deducción que hizo al ver, en su dedo anular, aquel anillo que él le había mandado hacer a ella.

El detective sorbió dos tragos de café y continuó:

—Lookie murió convencido de su suerte extraordinaria, ansioso de encontrar la mirada de Ernestina. Sabía que el arma de ella no los heriría, ni a él ni a usted, su amante y "Sacerdotisa", porque, días atrás, había cargado la *Glock Compact* con balas de salva, pero como ya lo dije, Ernestina nunca supo esto.

—Esa noche, usted viajaría al exterior en busca de casinos de juego y de una fortuna creciente. Aquí están, a su nombre, los dólares ganados esa noche, pero tendrá más de treinta años de espera para que sean suyos, porque de aquí saldrá para la cárcel por el asesinato de Ernestina Cabreras. Y usted —dijo mirando al *croupier*—, también pasará muchos años de su vida, entre barrotes, por la muerte de Lookie Pérez; pero antes…, debe saber algo que le voy a revelar y que lo va a sorprender: en el bolso de esta dama, además de su pasaporte, encontramos un sólo tiquete, a nombre de ella, claro está. ¿Qué le parece? Y una cosa más: ¿usted sabía que Lookie fue en épocas pasadas *croupier* en casinos de otros países? En esas circunstancias se conocieron ella y él. En esos tiempos, al finado no lo apodaban, todavía, el Lookie. ¿Estaba usted al tanto que esta dama de rojo, fue la autora intelectual de otros crímenes concebidos de la misma manera, como ocurrió en *La Esfinge* hace unos años? Descubrimos las pruebas en su apartamento, junto a varios pares de dados marcados. Todos, al rodar, señalaban siempre el siete.

Un silencio definitivo se impone en el ambiente. El *croupier* palidece casi hasta el desvanecimiento, escurren lágrimas de rabia por sus mejillas. Ella, seráfica pero desafiante, le espeta:

—No llores, pronto saldremos de esta situación.

Él la mira despectivo y le responde con voz iracunda:

—Ya jugaremos a los dados circulares con tu cabeza, ¡maldita!

Y el detective Gómez, con el último sorbo de café, ordena a sus hombres: "Llévense a este par de perdedores para que los reseñen. ¡Son insoportables!" (**c. v. z.**)

14

LA MUJER Y EL TIGRE

Relato con inicio y desenlace escritos por María Vilalta.

Hacía días que estaba inmóvil. El divorcio le había resultado demasiado cruento. Quizá la palabra no era cruento, tal vez, imprevisto, chocante… Miraba con fastidio al tigre embalsamado, última ocurrencia de su esposa Susan en el viaje a la India. No se atrevía a tirarlo, quizá por la vieja costumbre de la obediencia debida. Apenas atravesaba la puerta de su consultorio, odiaba por igual a la secretaria gorda que recibía sus citas como al tigre embalsamado que había terminado en su consultorio, por no coincidir con la decoración del departamento.

Todo le resultaba una carga, un amargo despertar, hasta que vio a la mujer frente al espejo. Estaba en la rutina del desayuno. Ella de espaldas, sola en la cafetería-bar. Tuvo que imaginar su cara, su cuerpo, su cabellera larga en negro y rojo —dos colores odiosos de combinar—, que a ella, por alguna extraña razón, la embellecían.

El cuerpo era fino y alto, con agradables curvas en las caderas. Imaginó un perfume a sándalo dándole vueltas por los tobillos. Fue apenas un chispazo. Salió disgustado por su demora en ese lugar. Había perdido la noción del tiempo en la hipnótica mirada sobre la espalda de la mujer.

A media mañana, después de atender a una decena de pacientes, llamó a su secretaria. Deseaba molestarla de alguna manera. Decidió suspender el resto de las consultas. Abrió la puerta y aún con la mano en el picaporte, dijo: "señorita, podría…", la frase quedó en el aire, sin completar. Ahí estaba la mujer del espejo sentada en la sala del consultorio, y un hombre mayor a su lado. La cara de la mujer le resultaba familiar. Un destello en la memoria se sobrepuso sobre el cuerpo helado y rancio del tigre. "Caprichos de la mente" —se dijo—. Las líneas rojas sobre el fondo negro del cabello, y las uñas que parecían blancas garras apretujando el sillón.

Creyó ver un rasguño en el cuello del hombre. Tres largas líneas se marcaban en la piel. La curiosidad lo fue ganando y repitió a su secretaria el "podría… —la voz se le hizo gruesa, forzada al completar la frase—… hacerlos pasar". (**M. V.**)

Visitar a un oncólogo fue una decisión difícil para Vivian Monterroso. Todo comenzó con una pequeña protuberancia en el seno izquierdo. Ella se sentía orgullosa de tener los pechos perfectos, por eso los mostraba de manera seductora usando ropa provocativa. Su marido, Julián Santamaría, comerciante de arte, desde la primera vez que la vio, quiso "coleccionarla"; era salvajemente bella, atrevida y enigmática, además de muy joven. Él le llevaba veinte años de edad y la amaba con la pasión de quien puede perderla en cualquier momento. Vivian, por su parte, se dejaba querer utilizando el juego del cazador y la víctima; ella tenía una fascinación extraña por los felinos y al tener relaciones íntimas con Julián, emitía gruñidos de seducción y placer.

Julián era feliz con su esposa hasta el día en que supo que le habían diagnosticado cáncer en el seno izquierdo. Fue como si la obra de arte que él había conseguido hubiera resultado falsa. No era posible… sólo tenía treinta años, era una joven en plenitud, ¿cómo podía el destino jugarle tan mala pasada? Vivian no podía creer que un cangrejo malévolo caminara entre la piel perfecta de su pecho. Pasaba largo tiempo mirándose desnuda al espejo. Su busto era hermoso, simétrico, turgente. "No puede ser" —repetía—, sumida en la desesperación.

El día que decidieron visitar al oncólogo fue para buscar una segunda opinión antes de permitir la mastectomía. "Jamás permitiré que la mutilen" —pensó Julián—, tiene que haber otro camino".

Carlos Bremer había estudiado medicina en México, y la especialidad de Oncología en Estados Unidos. Era brillante y muy apreciado en el ambiente hospitalario. Ya se encontraba en los cincuenta años cuando su esposa Susan le pidió el divorcio. Carlos era un buen hombre "aburrido como un taxidermista" —decía ella—, y un día se encontró solo, comiendo en restaurantes de comida rápida y por compañía, en su consultorio, un tigre embalsamado que odiaba profundamente.

Carlos Bremer hizo pasar a Vivian y a su marido. Como un eco escuchó la voz de Julián explicando la razón de su visita; después pidió a Vivian que pasara al consultorio anexo para revisión; la enfermera la asistiría.

Cuando Vivian estuvo preparada, Carlos entró al anexo. Ella estaba de pie vestida con una bata blanca. Él se acercó y separó la abertura de la bata permitiendo ver el esplendoroso cuerpo y quedó extasiado ante la imagen que vio. La examinó con detenimiento, palpó con suavidad ambos pechos y, al hacerlo, ella emitió un ronroneo gozoso que lo excitó intensamente. El cabello rojizo-negro caía por sus hombros sombreando, con toque felino, la erótica piel. Carlos sintió en sus genitales un zarpazo que le provocó erección. Vivian era bella y excitante. Controlándose, le pidió que se vistiera y mientras ella lo hacía, él pasó al baño. (**L. H. M.**)

"No puede ser" —pensó Carlos Bremer confundido—. Y, sin embargo, no conseguía apartar de su mente la imagen de aquella niña que, años atrás, había sabido despertar en su cuerpo de muchachito inexperto un torbellino semejante al que la sola visión y tacto de los senos de esta mujer había levantado en su cuerpo. Antes de entrar en el consultorio nuevamente, tomó aire y lo expulsó despacio, tratando de recobrar siquiera fuese una pizca de su buen sentido profesional que le permitiera enfrentarse a aquella pareja sobre cuyas cabezas sobrevolaba el ángel de la muerte. Se los imaginaba a los dos muy juntos, mirándose en silencio, sin saber muy bien cuál sería el diagnóstico que él les daría, aunque quizá presintiendo que su futuro tenía los días contados. Por eso le sorprendió encontrar sola a la mujer, cuya voz le sonó extrañamente confidencial cuando habló:

—Le he pedido que me comprara cigarrillos —dijo Vivian Monterroso, dando por sobreentendido que el médico entendiera que se refería a su marido, y ofreciendo una explicación que seguramente él le había pedido con su gesto de sorpresa.

—¡Ah! Entonces…

—No. No es necesario esperar a que él regrese —respondió Vivian con un tono que, por alguna razón que a él no le dio tiempo a analizar, le resultó artificialmente respetuoso—. No quiero que mi marido sepa que su particular "obra de arte" va a resultar una mala imitación. Ha invertido demasiado en ella —y su tono era un equívoco, a mitad de camino entre la más ligera frivolidad y la más profunda tristeza.

—No entiendo…

—Entiendes perfectamente, Carlos, y los dos lo sabemos —dijo la mujer, pasando del "usted" al tuteo directo que acabó por confundirlo definitivamente, para seguir después de una ligerísima pausa—: "no me queda mucho tiempo de vida ¿verdad? Tú mismo has podido comprobar que mi pezón izquierdo se encuentra retraído, sin que tus manos hayan podido reanimarlo como lo hicieron aquella noche en la que me dijiste que me amabas como sólo una vez habías amado. ¿No es gracioso?" Y, mientras iba dejando caer lentamente su apesadumbrado discurso, los ojos de ella permanecían extrañamente fijos en los del médico, en cuya mente se abría paso aquel Congreso Internacional de Oncología de Houston, que se cerró en una mágica noche de vino y pasión nunca imaginada, de la que se despertó en el dormitorio de un hotel entrañable, junto a una mujer recién conocida, casi una niña, de manos sabias como las de aquella otra niña de su adolescencia. Una mujer cuyos sensitivos pechos parecían haber sido resguardados de caricias anteriores, y que ahora respondían a las manos del hombre con un rugido grave, surgido de algún lugar de su felina garganta. Una mujer con la que sólo compartió una noche, cuyo recuerdo lo había perseguido durante años, y a quien, con un intenso e inexplicable dolor fuera de toda lógica, sintió que estaba a punto de volver a perder no habiéndola tenido realmente nunca.

No había conseguido recuperarse aún del estupor que lo embargaba cuando Vivian sacó de su bolso un pequeño cuaderno con pasta de color negro que él reconoció inmediatamente como el viejo diario de la niña de su adolescencia, y de cuyo interior se deslizó hasta el escritorio una fotografía amarillenta.

—¡No puede ser! —se oyó gemir a sí mismo, absolutamente confundido—. ¿Qué tienes tú que ver con ella? (**s. m. b.**)

—Es la foto de mi madre cuando tenía doce años —dijo Vivian con un gesto emocionado—. Ella me contó que se la tomaron en la fiesta de cumpleaños que le organizaron sus padres. Y mientras decía esto, su dedo felino se posaba sobre la fotografía como si quisiera señalar justamente el rostro de un muchacho en el que Carlos se reconoció inmediatamente.

—¡No puede ser! ¿Tú eres hija de… Viviana Álvarez?

Sin salir del asombro y todavía incrédulo, miró fijamente a Vivian, sentada frente a él, y confirmó que era muy parecida a aquella muchachita de la foto que, durante su adolescencia, había despertado un torbellino de emociones en su cuerpo y en su espíritu. El rostro de Vivian Monterroso y la forma de mirar, penetrante y nítida, eran idénticos al de Vivianita Álvarez, la bella colegiala, que sonreía desde la foto sepia que ahora tenía en sus manos.

—¡Sí, soy su hija! —dijo Vivian, y su expresión se ensombreció—. Ella murió hace dos años de un cáncer en los senos.

—¡No lo sabía! ¡Lo siento mucho! —comentó Carlos con tristeza y turbación—, y después de una pausa, le contó que él había sido el primer novio de Viviana en la época en que los dos estudiaban la secundaria; ella en el primer año, y él, en el cuarto. Y, en silencio, recordó aquella tarde que en medio de la penumbra de una sala de cine se tomaron de la mano y se besaron tímidamente provocando, esos besos, una sensación hasta ese día inédita; un cosquilleo fascinante y turbulento; una intimidad por primera vez compartida al contacto de los labios de ella que le hicieron conocer los nacientes secretos del amor. Y también recordó que ese éxtasis y esa misma fogosidad pasional, los vivió con Vivian, la noche que pasaron juntos en aquel entrañable hotel de Houston. Miró nuevamente la foto, y al observar que Vivian lo escudriñaba con ojos felinos, le preguntó:

—¿Por qué tú no me dijiste —cuando nos encontramos en el Congreso de Oncología, que eras hija de Viviana?

—No sabía en ese momento que tú y mi madre se habían conocido en la adolescencia. Lo supe después; a mi regreso de ese viaje, hace siete años.

—¿Y cómo te enteraste de aquello?

—Ocurrió que cuando le conté a mi madre que yo había sido la traductora oficial en el Congreso de Houston, ella quiso enterarse de los detalles, y entre otros, le dije que había conocido a un médico de nombre Carlos Bremer. Al escuchar tu nombre quedó sorprendida, y quiso saber más de mi encuentro contigo. Fue en ese instante cuando me comentó que tú fuiste su primer novio. Ya puedes imaginar lo que sentí cuando supe eso.

—¿Y le contaste algo sobre nuestra noche inolvidable?

—Nada le dije. Ella me habló de ti y me confesó que te había amado con la intensa curiosidad y con la dulce inocencia con que se ama al primer novio, y que durante muchos años, después de haber terminado la relación contigo, ella siguió recordándote y amándote en silencio.

Carlos la escuchó con atención, y creyó oír un ronroneo sensual y provocativo que salía de su boca. Observó su rostro ovalado, sus largas pestañas, sus ojos de mirada intensa. La encontró hermosa con sus labios tentadores y subversivos, con su voluptuoso cuerpo, y ese cabello extravagante, rojo y negro, que le daba un toque original. Presintió que volvería a amarla con pasión renovada. La observó un largo rato y experimentó una extraña confusión. Vivian tenía la misma mirada felina de su madre Viviana Álvarez; una mirada penetrante y táctil, y él empezó a sentir atracción hacia esa mirada que lo acariciaba. Después echó un vistazo al otro extremo del consultorio. Allí estaba el tigre observándolo inmóvil con sus ojos hieráticos. Al verlo, Carlos intuyó que había, en él, un misterio oculto, un enigma ininteligible. Recordó que desde el primer momento que vio al animal embalsamado, cuando viajó a la India con su ex esposa, tuvo sentimientos encontrados que ahora se intensificaban: admiración, al imaginarlo en su hábitat caminando majestuoso, elástico y seguro de sí mismo. Curiosidad, al presentir que su cuerpo escondía un secreto que tendría que descubrir. Pena y repulsión, al saber que alguien lo emboscó y le quitó la vida para después venderlo a los inescrupulosos traficantes y embalsamadores a quienes Susan contactó en Nueva Delhi. (J. R. R.)

¡Aquel tigre embalsamado…! Con todo el empeño que Susan, la ex esposa de Carlos, había puesto en traerlo desde la India, y lo difícil y costoso que salió el traslado, más aún cuando hubo de ser ilegal y tuvieron que pagar un alto precio por el soborno. ¿Por qué no lo había pedido ella tras el divorcio? —pensó Carlos—. Se lo hubiera dado de muy buena gana. O… tal vez no. Era un asco tenerlo frente al lecho —lugar donde estuvo hasta su traslado al consultorio—, pero había algo morboso que le atrapaba cuando su mirada se cruzaba, en la noche, con el brillo frío de los ojos del felino inerte.

—Nunca supiste a ciencia cierta por qué te abandoné, ¿verdad? —dijo la voz a través de la línea telefónica—. Mi frigidez nunca llegó a hastiarte lo suficiente como para ser tú quien diera el paso y no yo. ¿Cómo sublimabas la carencia? —tu comportamiento también era de hielo—. ¿Nunca se te ocurrió pensarlo? ¿Quieres que te lo cuente, Carlos?

—¿A qué viene esta llamada, Susan?

—Digamos que cuestión de papeleos pendientes, pero eso puede esperar.

—Tienes razón, no sé por qué seguí a tu lado si jamás logramos tener sexo en condiciones placenteras.

—¿Qué no? Claro que sí, cada noche ambos quedábamos saciados.

—¿Qué dices?

—Lo que oyes, Carlos. Todo empezó aquella noche en que yo tenía insomnio y tú dormías. Sabes que hablas en voz alta mientras duermes, y los temas que surgen suelen estar relacionados con los ensueños —me informé a fondo sobre ésto—. Hasta ese día, simplemente me resultaba gracioso, pero esa noche emitiste un sonido desgarrador, un sonido felino. Yo te había destapado y contemplaba tu cuerpo desnudo, se me ocurrió entonces acariciarte suavemente la entrepierna. Fue cuando vi que tu sexo erecto experimentaba una eyaculación. Aquello me excitó de tal manera que yo también tuve un orgasmo. Tú despertaste, pero yo me hice la dormida. Supongo que pensaste que todo te lo había producido algún sueño erótico, porque a la mañana quise saber si recordabas algo, y tu mente no había dejado ningún rastro de mí. Guardé el secreto, y el sueño se repetía casi a diario cuando yo, con astucia iniciaba el proceso, acariciando suavemente tus nalgas y rozando después tu sexo. Entonces, regresaba el felino y también nuestra mutua excitación. Hasta que llegó aquella noche en la que uniste al grito un nombre de mujer: Vivian. Entonces fue cuando investigué y supe que coincidiste con ella en el Congreso de Houston, y que su marido era tratante de arte y coleccionaba óleos, esculturas e, incluso, a su mujer. También sé que no fue coincidencia que después de que el cáncer se adueñara de su pecho, ella te eligiera a ti para su tratamiento oncológico. El tigre embalsamado guarda un secreto. Te odié desde el momento en que supe que no era el roce de mi mano lo que te provocaba esos orgasmos, sino la salvaje belleza y personalidad de Vivian. (**A. F.**)

Para Carlos Bremer el tiempo pareció detenerse en los siguientes meses. Un hilo tenso, sin orillas visibles, entre lo posible y lo desconocido de la enfermedad… Asumió día a día el tratamiento médico de Vivian con interminables sesiones de quimioterapia, que la dejaban agotada física y psicológicamente. Se tenía confianza como científico y oncólogo, y visualizaba la salvación de Vivian pero, de manera simultánea, dudaba de sus fuerzas y de su resistencia. La madre de Vivian había muerto del mismo y espantoso mal. Días había en los que se desmoronaba ante su mirada profesional y amorosa.

Julián Santamaría, se mostró solidario con Vivian las primeras semanas del tratamiento. Pensaba haber asimilado la mastectomía del seno izquierdo de su bella mujer; pero, luego, sus asuntos comerciales lo llevaron a realizar un viaje por varios países de Europa. Debía participar, con obras de sus colecciones exclusivas, en importantes Ferias de Arte en París, Berlín, Milán, Oslo y Moscú. Durante su extenso periplo, comunicó "con sincero dolor en el alma", que viajaría al Asia, al final de las exposiciones. Su futuro económico estaba en juego.

Carlos Bremer, una noche de insostenible crisis de Vivian, resolvió trasladarla a su propio apartamento; así podría ocuparse de ella a cada instante. De otra parte, Vivian, exhausta, y él, decidido, compartirían soledades y expectativas. A Vivian no le faltaría nada material ni psicológico para sostenerse en la lucha contra la terrible enfermedad.

Una tarde de lluvia y tempestad, al regresar del consultorio, Carlos encontró a Susan, su ex esposa, esperándolo en la sala de su apartamento; la empleada de muchos años la había dejado pasar al verla entrapada por el temporal. Él se sorprendió, pero se mostró sereno e indiferente. Susan proponía ahora a Carlos una segunda oportunidad en sus vidas, volver a convivir y a pensar en un futuro para la pareja.

Vivian entró en ese momento al salón, y escuchó las últimas palabras de Susan. Las dos sostuvieron por unos segundos sus miradas. Carlos Bremer sintió que era causa y efecto de un juego existencial peligroso, a la vez, presa y cazador. (**c. v. z.**)

"El tigre guarda un secreto", había repetido Susan antes de retirarse del departamento. La mente racional de Carlos Bremer insistía en acomodar las piezas como en un tablero de ajedrez. Estaba ahora frente al tigre en su consultorio, buscando la posible respuesta. Lo palpó con cierto asco. Centímetro a centímetro sus manos recorrieron la superficie fría. Un olor más nauseabundo de lo habitual se había colado en la habitación cerrada. Aún no hacía presencia su secretaria y él se alejaba del animal para observarlo a cierta distancia. Buscaba algo que no podía precisar, pero lo buscaba en forma obsesiva. De alguna manera, intuía que la respuesta estaba allí.

Las últimas semanas fueron tensas. Nunca se había sentido tan lleno de expectativas. Vivian, en su departamento duerme en el sofá. Por su garganta salen ronroneos felinos. Su cabellera ahora descolorida conserva las huellas del rojo y el negro en anchas franjas como si fueran las sombras del atardecer sobre el mismo cuero del tigre. "Eso es —deduce Carlos—, ella me ha impactado desde el espejo en aquel bar porque es la sombra del animal, tal vez el espíritu, o el impulso instintivo de él. ¿Qué estoy fabulando? ¡Soy un científico! La ciencia no permite…".

¿Qué es lo que asoma de la panza? ¿Papel? ¿Estopa…? Carlos intenta sacar con la mano la punta de un papel. Esfuerzo inútil. Está firmemente agarrado al interior del tigre. Con una pinza tironea cuidadosamente hasta que sale el papel completo; ahí está escrito en inglés: "*The past will be present, and the man will live again*". Una marca extraña, un dibujo en tinta cierra la frase, y las huellas de dos gotas de sangre, ya secas, arman un universo de conjuros. No es la letra de Susan. Traduce: *El pasado se hará presente, y el hombre volverá a vivir.*

"Seguramente lo escribió algún mago de la India en donde ella compró el tigre —piensa Carlos—. Alguien que por una paga había sido capaz de abrir un camino oculto. ¿Hacia dónde? ¿Cómo?"

¿Qué había dicho Susan antes de retirarse enfurecida del departamento? "Ella está aquí por mí. ¡Yo lo hice, maldita sea! No te soportaba congelado y ahora no te soporto vivo". Él no había entendido por qué Susan se hacía responsable de la presencia de Vivian. Eso le había parecido un disparate. "Ella está aquí por mí". Ahora presiente que nada fue casual. ¿Todo fue fruto de un contrato, de una negociación con un mago en su viaje a la India? ¿El mundo mágico realmente tenía poder sobre las cosas materiales? Jamás se había permitido pensar en esos términos.

El cuerpo de Carlos empezó a temblar despacio. Se tocó el rostro. Unas lágrimas silenciosas corrían por su cara. Años sin llorar, sin sentir más que enojo y frustración al lado de Susan. Ahora podía amar. De hecho amaba a Vivian más allá de sus fuerzas. Durara lo que durase, nadie iba a arrebatarle los minutos o los días por venir. El tigre seguía impasible mirando desde sus ojos inmóviles. Cierta simpatía empezó a ganarlo. Entendió sus patas libres, su cuerpo atravesando las llanuras, olfateando las presas. Lo vio parado frente a un sol enorme y rojo. Lo vio revolcándose con la hembra en los pastizales. Escuchó su imponente rugido llenando el espacio. Se vio a sí mismo enlazado al cuerpo de Vivian. Sintió su respiración acelerada. Supo que el sol, el viento, la lluvia, iban adueñándose de su persona. Y allí comprendió. *El pasado se hará presente, y el hombre volverá a vivir*. Todo había confluido en Vivian y en las noches de su tórrido amor. Ella había arrastrado el recuerdo de Viviana, su madre, ese recuerdo lejano, a quien él también había amado apasionadamente.

Y ahora, Carlos se había transmutado del hielo en el alma, a un fuego abrasador. ¿Había, Susan, medido las consecuencias? Seguramente no. Su arrebato, sus celos desmedidos, sus reclamos, la habían empujado a contratar un espacio de futuro, a comprar un hechizo junto al tigre, una manera de transformar a su marido. No pudo imaginar que en ese cambio, ella quedaría fuera del juego. Que el pasado irrumpiría con fuerza arrasadora. Sólo desde allí se podía amar a Vivian. Ahora, casi sin tiempo por la enfermedad de ella, Carlos tomaría de la vida todo el gozo que pudiera obtener. Recuerda la marca en el cuello de Julián Santamaría y sonríe. Mañana él mismo tendrá su marca. Mañana ella tal vez también reciba unas líneas rojas del felino que duerme en él. El cáncer seguirá agazapado lo mismo que el tigre. La muerte ocurrirá sobre el cuerpo de Vivian. La marcha inexorable de los ciclos vitales se cumplirá irremediablemente, pero él podrá, en ese paréntesis del tiempo, ser feliz, disfrutar el amor con ella y por fin vivir con intensidad. Vivir… ¡Vivir…! No era poco el desafío. (**M. V.**)

Datos bio-bibliográficos de los autores

(por orden alfabético del país donde nacieron)

Argentina

María Vilalta

San Lorenzo, Santa Fe, Argentina. Profesora en Ciencias Económicas; Maestra Superior en Lengua y Literatura; Diplomada en Gerencia Empresarial, Universidad UCA de Córdoba, y en Ciencias Económicas UCA Rosario; Licenciatura en Letras, Universidad Nacional del Litoral, Provincia de Santa Fe. Ha obtenido quince premios internacionales y cincuenta nacionales, destacándose los siguientes: *Primer premio de la SADE* (Sociedad Argentina de Escritores) en Poesía 1993, *Primer premio en cuento, Concurso anual de Poesía y Cuento Macedonio*, Editorial Otras Puertas. *Premio Platero 1995*, Club del Libro en Español de la ONU, Ginebra, Suiza. *Primer premio de cuentos* del Grupo *ICTHIOS*. Mendoza, *Premio publicación* en el Primer concurso de Cuentos Históricos organizado por la SADE con Grupo Editor Altamira.

Ha publicado los siguientes libros: *Nunca me faltó nada*, novela corta juvenil, 1991. *Límite*, cuentos, 1992. *Carmen... Carmela*, novela, 1994. *Serán pocos los que crean*, cuentos, 2001. *Colorín Colorado*, infantil, 2003. *Maneras de ver esto del Amor y de la Vida*, poesía, 2003. *De aguas y de fuegos, historias de la tierra sin mal*, novela, 2004. *Diez mujeres para ningún* harem, novela, 2004. *Maneras de ver esto del amor*, poesía, 2006. *El tango de aura*, novela, 2007. *Con permiso de hablar*, novela, 2009.

Participó en la muestra internacional de Poetas Iberoamericanos de la Universidad St. Thomas University, New Brunswick, Canadá. *Premio SYRIUS Mujer Destacada*, Rosario, Santa Fe. *Primer premio de "Poesía"* en Español Concurso Gala IX de The Cove Rincón International, Miami, EE.UU. *Premio en categoría testimonio "Mi abuelo italiano"*, en Terra Austral Editores de Australia. *Primer premio poesía en el certamen internacional de poesía "Ecos del Valle"* Villa Giardino, Córdoba. *Segundo premio cuento Concurso Literario "Expresión del Cono Sur de América"*, Editorial Despeñadero, B. A.

Participa en forma permanente en Ferias del Libro y en actividades culturales desarrolladas en diferentes países como México, Colombia, Perú, Uruguay, Paraguay, Puerto Rico, Ecuador, Panamá, ya sea como invitada o como ponente de conferencias y seminarios.

Correo electrónico: vilaltananci@fibertel.com.ar

Colombia

Juan Revelo Revelo

Ipiales, Nariño, Colombia. Escritor, poeta y periodista. Fundador y director del Taller de Poesía "Octavio Paz", y del Taller de Narrativa "Juan Rulfo". Conferencista en universidades de Argentina, Colombia, Cuba, Chile, México, Perú y Venezuela, sobre temas de Literatura Iberoamericana. Fue asesor de Cinterfor (OIT) en Buenos Aires, y de la UNESCO en París, La Habana y Ciudad de México. Es Ingeniero con Maestría en Administración de Negocios. Durante 25 años ocupó cargos directivos en empresas multinacionales en Colombia, Argentina, México y Francia. Actualmente es miembro del Club Rotario Internacional, y del PEN de Colombia. Jurado en concursos de poesía y cuento nacionales e internacionales.

Ha publicado libros de poesía, narrativa y ensayo, entre ellos: *El baúl de Mercedes Saluzo* (Novela); *La gitana Iselda* (Cuentos); *Páginas al viento* (Ensayos); *Los Ojos del Recuerdo, Desnuda soledad, Nuevas Voces de fin de Siglo* (Poesía); *Búsquedas y Encuentros* (Coedición de poemas polifónicos a seis voces); *Sabrina* (Relatos). Libros inéditos: *Metempsicosis* (poemario), *Los sueños de mi abuelo* (cuentos infantiles), y *Los Primos* (Literatura juvenil). Ganador de varios concursos literarios. Premio Nacional "Ciudad de Barrancabermeja" (2000), y Premio Nacional de Cuento, convocado por Editorial Planeta y el periódico "El Espectador" de Bogotá, (2002). Su obra ha sido traducida al inglés, francés e italiano, e incluida en antologías nacionales e internacionales.

Escribe desde los quince años, cuando su cuento *El convento* ganó el "Primer Concurso de Cuento Juvenil" (1958), organizado por la Universidad de Nariño. Fundador del Centro Literario "Luis López de Mesa", con la asesoría del poeta Aurelio Arturo. En la época que vivió en México, fue alumno de Juan Rulfo y Octavio Paz. Ha participado en Encuentros de escritores en: Santiago de Chile, La Habana, Caracas, Sao Paolo, Lima, Bogotá y Ciudad de México, y en las Ferias Internacionales del libro: *Frankfurter Buchmesse,* Alemania, 1994; *Salone Internazionale del Libro,* Torino, Italia, 1996; *Feria del Libro de Barcelona*, España, 1997; *Miami Book Fair*, 1998; y en varias oportunidades en las Ferias del libro de Guadalajara, Monterrey, Caracas, Quito, Lima, Montevideo, Buenos Aires, Bogotá, Medellín y Cali.

Correo electrónico: revelo2000@gmail.com

Colombia

Carlos Vásquez-Zawadzki

Tumaco, Colombia. Profesor Titular de la Universidad del Valle, en Cali, actualmente vinculado en la Facultad de Comunicación y Lenguaje de la Universidad Javeriana, Bogotá. Estudios de Literatura en la Universidad del Valle, y de postgrado, Maestría y Doctorado, en las Universidades de Toulouse y Montaigne, Bordeaux, Francia. Periodista y editor; investigador en los campos crítico-literario, teatral y comunicacional-cultural. Premio de Crítica contemporánea "Manuel Cofiño", La Habana, Cuba. Ha publicado los volúmenes *Diario para Beatriz, La oreja erótica de Van Gogh, Tercer laberinto-cartografías poéticas, Liberaciones, Sol partido en la naranja, Tiresias y su cayado y otros poemas, Rotaciones, Amares, Estamos de cabeza* y *Crujir de dientes.*

Fundador con el Maestro Enrique Buenaventura de la Escuela de Artes Escénicas de la Universidad del Valle. Director de estudios de postgrado y Decano de Cultura, en la misma institución. Director-editor de las revistas *Poligramas, Caliartes, Letras del Sur* y *Plumadas.* Autor de los volúmenes *Ensayos de teoría literaria, Trabajos poéticos, El reino de los orígenes, Estanislao Zawadzki, Cartografías culturales, País de Memoria.* Narrativa: *La abuela perdió un recuerdo.* En proceso editorial: *Las suaves manos de Eros y El vino puro de Dionisios, Mi amigo, el tomador de café, Mi amiga, la modelo rubia, Mi amigo, el griot del Pacífico; Las travesuras de* Cósimo; *Tu dedo pulgarcito y otros poemas, Alfabetos imaginarios.* En proceso creativo: *Baladas, La frente rota del poeta es una fuente, Escalas de silencio y memoria, Pequeñas muertes, Ojos de mar* (poesía); *Operas primas narrativas I, Lecturas musicográficas de relatos de G. García Márquez.*

Trabajos suyos han sido traducidos al inglés, francés, hebreo, italiano y portugués. Intervenciones en: West Georgia University: sobre narradores y poetas colombianos; Université de Toulouse; Atlanta University; Universidad Alberta; Uneac y Universidad de la Habana; Universidad Central, Ecuador; Université de Toulouse y Universitá di Bergamo. Participación en Congresos Jalla y Colombianistas. Jurado en Concursos literarios nacionales e internacionales. En la actualidad es Presidente del PEN de Colombia, y Director de Crear 3000 Ltda., Agencia literaria y cultural.

Correo electrónico: carlosVásquez-zawadzki@crear3000.com
http://www.crear3000.com
http://www.letrasvirtuales.com

España

Socorro Mármol Brís

Bedmar, Jaén, **España.** Poeta, escritora y promotora cultural, residenciada en Madrid. Se graduó de Maestra Nacional y después de Abogada, profesión que ha ejercido por más de cinco lustros. Es Mediadora porque, según sus propias palabras, "cree profundamente en la capacidad de los seres humanos para solucionar sus propios conflictos sin necesidad de que alguien crea saber sobre ellos más que ellos mismos". Es miembro del equipo docente de la Universidad Internacional de Andalucía y de la Universidad Nacional de Educación a Distancia UNED de España.

Directora del Foro Literario "Iceberg nocturno", promovió el I Encuentro Internacional de Literatura Virtual, celebrado en Puerto

Rico, en la Universidad de Mayagüez en 2007. Ha publicado varios libros de poesía y narrativa, entre los que se destacan: *Mágina Mágica, Cuchicheos y Patrañas* (relatos) 2005; *Ellas: manual uterino para machos en celo* (relatos) 2007; *Preseas y tumbagas* (poesía) 2008; *El corazón del Chimborazo* (poesía) 2010 basado en "Mi delirio sobre el Chimborazo" único texto poético que se le reconoce a Simón Bolívar. Ha sido premiada en varios concursos literarios y su obra poética y narrativa ha sido incluida en antologías de España y el exterior, tales como: II *Antología de Narrativa. Relatos de humor sin extrema-unción* (Mérida, Venezuela) 2006; VI *Antología de Sensibilidades de oro* (Galicia, España) 2005; *Desvelados* (Madrid, España) 2002 y *Búsquedas y Encuentros* (Bogotá, Colombia). Coedición de poemas a seis voces, 2011.

Participante en Foros Nacionales e Internacionales y en Encuentros de Poesía y Literatura en Venezuela, Argentina, Colombia, Puerto Rico, Portugal y España. Pertenece a varios grupos literarios de Madrid, Marbella y Málaga. Intervenciones como invitada especial en la Reunión de Sociedades Bolivarianas de Caracas (Venezuela) en Abril 2010, donde presentó el Poemario *El corazón del Chimborazo*. Y en Colombia, con la presentación del Libro *Búsquedas y Encuentros: poemas a seis voces*; Editorial Caza de Libros.

Correo electrónico: socomarmol@gmail.com
http://www.magina-magica.es

España

ÁNGELES FERNANGÓMEZ

Villacorta, León, España, 1953. Reside en Madrid desde 1975, Cursó estudios de Periodismo. Es Cofundadora y ex miembro de la Junta Directiva de la Asociación "Versos Pintados del Literario Café Gijón", habiendo tomado parte activa en expo-recitales de la Asociación y con otros grupos literarios, llevados a cabo en lugares tales como la SGAE (Sociedad General de Autores), el Ateneo de Madrid, Escuela Julián Besteiro, Círculo de Bellas Artes, y Cafés Madrileños representativos de la Literatura. Fue Secretaria de Dirección en la Comunidad de Madrid y previamente lo fue con Altos Cargos en el Estado. Coordinadora de los Encuentros poéticos del grupo "Poética en Gredos". Miembro del Jurado en los Premios Internacionales de Poesía Harawiku y de los Premios Rosseta. Pertenece a los grupos: "Poesía en Sidecar"; grupo poético-musical TANGRAM, "Endecasílabo".

En narrativa ha publicado tres libros de relato corto: *Encuentros en Sambara, En una Ciudad Lineal* y *Filando cuentos de mujer* (co-publicación). Participó en el libro *El Quijote en el Gijón,* editado por el Café de Madrid con motivo del IV Centenario de la publicación de la obra de Cervantes. En poesía ha publicado el libro *Chupitos poéticos,* (poesía breve). Incluida en el libro *50 poetas Contemporáneos de Castilla y León.* Participación en antologías tales como *Versos Pintados, La mujer en la poesía de España y Marruecos, Con buenas palabras, Poesía en Sidecar, Palestina en el corazón* y otras publicaciones on-line. "Pluma invitada" en la revista "Sensibilidades". Colaboraciones, de narrativa y poesía, en la revista "Alkaid". Guión e interpretación de la *Performance* de Literatura Erótica "Profanando la Letra-Diálogos a cuerpo abierto", representada en el Nuevo Teatro Alcalá de Madrid.

Guión e interpretación de la *Performance* "Sylvia y Anne, oscuras novias conspiradoras". Administra los blogs: "Narrapoesía, textos literarios"; "Narrapoesía, eventos y noticias literarias" y "Poética en Gredos". Obtuvo Mención especial y publicación en el "I Certamen Internacional Jirones de Azul". Finalista en el Concurso de relatos "Les Filanderes", del Principado de Asturias. Finalista en María del Villar 2008.

Correo electrónico: afernangomez@gmail.com
http://afernangomez.blogspot.com
http://poeticaengredos.blogspot.com

México

Laura Hernández Muñoz

Tamazula, Jalisco, México. Poeta, ensayista, dramaturga y narradora. Conferencista en las universidades de Washington, D.C. Hoobart y New York, Estados Unidos; Belgrano y Buenos Aires, Argentina; Toronto, Canadá; Universidad de San Agustín en Arequipa, Perú; Instituto Tecnológico de Monterrey; Universidad Autónoma de Guadalajara; Instituto Estudios Superiores de Occidente; Universidad de Vigo, España. Fundadora del Instituto de Desarrollo Cultural para la Mujer: IDECUM A.C. Maestra en Historia (Escuela Normal Superior Nueva Galicia). Licenciada en Historia, Universidad de Guadalajara. Becaria del Instituto de Cultura Hispánica para estudios de Doctorado en Teorías Económicas de la Historia en la Universidad Complutense de Madrid. Periodista y presentadora de televisión y radio.

Fundadora de la Asociación de Literatura Infantil y Juvenil de México, ALIJME A.C. Medalla de oro en el certamen de poesía Mahatma Ghandi de la WWCP, Chennai, India 2007. Ganadora del premio de teatro Miguel Marón (1975). Mención especial en el concurso internacional de cuento Rosario, Argentina (2000). Su obra ha sido publicada en revistas y libros. Es autora de más de veinte libros, los últimos siete dedicados a niños y jóvenes. Cuatro de ellos sobre el Bicentenario de su país. La Asociación de literatura Infantil de Perú nombró: *Laura Hernández Muñoz* al v Congreso internacional realizado en la ciudad de Arequipa, en noviembre del 2011.

Obra: *Entre nosotras* (Edamex, 1992); *Quiero platicar contigo* (Indisa films, 1994); *Escribir a oscuras* (Edit. Belgrano, 2000 y 2003); *Navegantes y syrenas.com* (Conexión gráfica, 2001); *Fénix* (Mantis editores, 2002, traducido al inglés, francés, italiano, árabe y japonés); *Donde la nostalgia inventa el recuerdo*. Poemario. (Ave Viajera 2007). *Ángel de alas negras*. Cuentos. (Piso/tres. Editores 2007). *La transubstanciación del vino a la luz*. Ensayo. Español-farsi. Centro de Lenguas Modernas Teherán, Irán 2007. Cuatro libros Colección Bicentenario: *Camino a la Independencia, Guadalajara en el siglo* XVIII. *El Amo Torres. Hidalgo en Guadalajara. Pedro Moreno, el héroe del fuerte de El Sombrero*. Secretaría de Cultura del Estado de Jalisco 2010. *Redondel*, libro infantil, CONACULTA, Editorial Zafiro 2010. *Al conjuro de la palabra, cómo enseñar la historia sin aburrir*. Ediciones ALIJME 2010. *A golpe de casco,* las andanzas del padre Kino en Sonora y las Californias. Ediciones ALIJME 2011.

Correo electrónico: laherfil@hotmail.com